CONSIDÉRATIONS SUR LES CAUSES DE LA GRANDEUR DES ROMAINS ET DE LEUR DÉCADENCE

MONTESQUIEU *dans la collection* GF :

Lettres persanes

MONTESQUIEU

CONSIDÉRATIONS
SUR LES CAUSES
DE LA GRANDEUR
DES ROMAINS
ET DE LEUR
DÉCADENCE

Chronologie et préface

par

Jean Ehrard
professeur à la Faculté des Lettres
et Sciences humaines de Clermont-Ferrand

GARNIER-FLAMMARION

CHRONOLOGIE

1689 : Naissance de Charles-Louis de Secondat, au château de La Brède, le 18 janvier.

1700-1705 : Etudes chez les oratoriens de Juilly.

1705-1708 (?) : Etudes juridiques à Bordeaux.

1709-1713 : Séjour à Paris.

1714 : Reçu conseiller au Parlement de Bordeaux.

1715 : Epouse une huguenote, Jeanne Lartigue.

1716 : Hérite de son oncle le nom de Montesquieu et la charge de président à mortier au Parlement de Bordeaux. Lit à l'Académie de Bordeaux une *Dissertation sur la politique des Romains dans la religion.*

1718-1721 : Présente à l'Académie bordelaise divers mémoires de morale, physique et sciences naturelles.

1721 : Publie les *Lettres persanes.*

1724-1725 : Publie *Le Temple de Gnide.* Compose notamment le *Dialogue de Sylla et d'Eucrate.*

1726 : Vend sa charge de président.

1727 : Ecrit des *Considérations sur les richesses de l'Espagne.*

1728 : Reçu à l'Académie française.

1728-1729 : Voyage en Autriche, Hongrie, Italie, Allemagne, Hollande.

1729-1731 : Séjourne en Angleterre. Elu membre de la Société Royale de Londres. Introduit à la loge maçonnique de Westminster.

1732-1736 : Travaille à un *Essai sur les causes qui peuvent affecter les esprits et les caractères.* Compose des *Réflexions sur la monarchie universelle en Europe*, un essai sur *La Liberté politique;* publie en 1734 les *Considérations sur les causes de la grandeur des Romains et de leur décadence;* commence à travailler à *L'Esprit des lois.* Se partage désormais entre la Guyenne et Paris.

1738-1740 : Parallèlement à la préparation de *L'Esprit des lois*, autres travaux historiques : une *Histoire de Louis XI* (manuscrit disparu) et des fragments d'une *Histoire de France.*

1742 : Compose *Arsace et Isménie.*

1747 : Elu à l'Académie royale de Prusse. Reçu à Lunéville par le roi Stanislas.

1748 : Publie à Genève *De l'Esprit des lois.* Nouvelle édition, revue et corrigée, des *Considérations sur les Romains.*

1749-1750 : Attaqué à la fois par les jansénistes et les jésuites, publie une *Défense de l'Esprit des lois.*

1751 : Mise à l'index de *L'Esprit des lois.*

1752 : Démêlés avec la Sorbonne.

1753 : Compose pour l'*Encyclopédie* un *Essai sur le goût.*

1754 : Publie *Lysimaque* dans le *Mercure.*

1755 : Meurt à Paris, presque aveugle, le 10 février.

1758 : *Œuvres complètes*, édition posthume préparée par l'auteur.

PRÉFACE

Ecrire sur Rome : après Bossuet, Saint-Evremond, Tillemont, Vertot, l'entreprise n'avait plus en 1734 le mérite de la nouveauté. « Matière usée », devait dire dédaigneusement Voltaire dans le *Catalogue des écrivains du siècle de Louis XIV*, en concédant toutefois que Montesquieu avait su la renouveler quelque peu « par des réflexions très fines et des peintures très fortes ». Au XVIIIe siècle, Rome est encore l'horizon le plus familier de la culture française. L'époque des Lumières découvre avec une inlassable curiosité la diversité des mœurs, des genres de vie et des formes de pensée à travers le temps et l'espace. Mais l'ironie des Persans, la sagesse des Chinois ou des Egyptiens, la liberté des Hurons, l'étrangeté des Esquimaux et des Patagons, l'innocence des Tahitiens ne suffisent pas à éclipser l'éloquence de Cicéron, le courage des deux Brutus ni la « grande âme » de Fabricius. On n'efface pas aisément les images reçues dès l'enfance. La force de Rome au XVIIIe siècle est de vivre dans le cœur des écoliers comme dans l'esprit des régents de collège. Les *Considérations* se détachent sur le même fond d'humanisme scolaire que l'*Histoire romaine* du bon Rollin (1738) ou l'impérissable *De viris illustribus* de Lhomond (1775); elles ont leur première origine dans l'enseignement reçu par le jeune Charles de Secondat chez les oratoriens de Juilly. Si le livre a fourni à des générations de collégiens d'innombrables sujets de thème latin, ce n'est — somme toute — que par un juste retour des choses.

Montesquieu n'est pourtant pas un quelconque Vadius, et à quarante-cinq ans il a passé l'âge des exercices de rhétorique. Après le grand périple européen qui l'a conduit en Italie, en Allemagne, en Hollande et en Angleterre, ce provincial devenu plus qu'à demi parisien s'est enfermé deux ans dans son château et sa bibliothèque de La Brède : nul doute que, parvenu à l'âge des grandes ambitions, il n'y ait conçu de grandes pensées. Familier de la Cour et des salons parisiens, il rêvait naguère d'une carrière diplomatique. Redevenu homme d'étude, lisant ou relisant Tacite et Salluste, il n'oublie pas le siècle qui est le sien. Son amie Mme de Tencin pourra bien l'appeler affectueusement « mon petit Romain »; ce Romain est d'abord un Français du siècle de Louis XV. « Rome *antica et moderna*, dira-t-il, m'a toujours enchanté. » Sur place, en 1729, il a toutefois pris plus d'intérêt aux mœurs et intrigues de la ville des papes, à Raphaël et à Michel-Ange, au baroque monumental qu'aux vestiges du Forum ou au Colisée. Très tôt, en revanche, sa culture latine avait répondu aux appels de l'actualité. L'un de ses premiers écrits, une dissertation sur la *Politique des Romains dans la religion* (1716), s'interrogeait sur la place due à la religion dans la cité; jeune lecteur de Machiavel, Montesquieu écrivait alors avec un cynisme allègre, dans une France déchirée par les querelles religieuses :

« Je trouve cette différence entre les législateurs romains et ceux des autres peuples, que les premiers firent la religion pour l'Etat, et les autres l'Etat pour la religion. Romulus, Tatius et Numa asservirent les dieux à la politique... »

L'auteur des *Lettres persanes*, inquiet du déclin démographique de l'Europe, soutenait de même que la religion romaine était plus favorable à la population que le christianisme et le mahométisme. Trois ans plus tard, une œuvre d'apparence académique comme le *Dialogue de Sylla et d'Eucrate* offrait une méditation sur les rapports de l'héroïsme et de la liberté. En 1732, tandis que les *Considérations* mûrissent dans le silence studieux de La Brède, de brèves *Réflexions sur la sobriété des habitants de Rome comparée à l'intempérance des anciens Romains* sont encore une façon d'éclairer l'un par l'autre le présent et le passé. Mais le passé ne revit-il pas dans le présent ? Vers 1730, le parallèle entre la république romaine et la monarchie anglaise est devenu une manière de lieu commun. Voltaire discute et nuance le rapprochement, mais il ne l'évite pas dans ses *Lettres philosophiques* dont la publication précède de quelques mois celle des *Considérations*. Or c'est dans les mêmes années 1731-1734, décidément fructueuses, que Montesquieu rédige une analyse de la constitution anglaise destinée à devenir le plus célèbre chapitre de *L'Esprit des lois*... Enfin, l'importance des *Romains* ne doit pas nous faire négliger un opuscule de quarante pages qui en est exactement contemporain puisque imprimé en même temps qu'eux sur les presses de Jean Desbordes, à Amsterdam : ce sont les *Réflexions sur la Monarchie universelle*, composées pendant la guerre de Succession de Pologne et où le souvenir de Rome apparaît du reste dès les premières lignes; les exemples de Charlemagne, Gengis Khan, Charles Quint et Louis XIV y servent à démontrer la vanité de l'esprit de conquête. De ce contexte une étude de l'impérialisme romain reçoit, nous le verrons, une actualité inattendue.

Nous ne connaissons qu'un unique exemplaire de la *Monarchie universelle*, imprimée au printemps 1734 mais aussitôt retirée de la circulation. En quelques mois il n'y eut pas moins de trois tirages de l'édition hollandaise des *Considérations*, mais la publication n'alla pas non plus sans difficultés. L'auteur avait eu la prudence de choisir l'anonymat et un éditeur étranger. Il prit également la précaution de soumettre son texte, sur épreuves, à un jésuite de ses amis, le P. Castel, et lui concéda des adoucissements, notamment pour l'avant-dernier chapitre, qui traite d'affaires religieuses. Du premier tirage au second il dut cependant altérer encore son livre par des « cartons » qui supprimaient d'autres passages litigieux, en particulier à la fin du chapitre XII une apologie du suicide; il se résigna aussi à une liste d'*errata* qui n'étaient pas tous des corrections d'erreurs typographiques : la phrase du chapitre ix sur le faux « accord » du « despotisme asiatique » avait à l'origine une portée générale, et le mot *asiatique* n'y figurait pas... Grâce à ces concessions de détail, grâce aussi à l'aide du P. Castel et de Mme de Tencin, une édition parisienne parut enfin la même année, avec approbation et privilège. Montesquieu put présenter officiellement l'ouvrage à ses confrères de l'Académie française. Il se tirait à son avantage d'une situation délicate, mais cela n'avait pas été sans mal.

Après le grand scandale des *Lettres philosophiques* l'année 1734 ne vit donc pas éclater une « affaire » des *Considérations sur les Romains*. L'accueil fait au livre fut du reste beaucoup moins chaleureux que celui qui avait été naguère réservé aux *Lettres persanes*. Les *Romains* eurent des admirateurs en Angleterre et en Allemagne; immédiatement traduits en anglais (1734), ils le furent en allemand dès 1742, mais il leur fallut attendre 1764 pour l'être en italien, alors que la traduction italienne de *L'Esprit des lois* devait suivre l'édition originale de quatre années seulement. En France, une nouvelle édition, assez profondément remaniée par Montesquieu, vit le jour en 1748 : c'est le texte définitif qui a servi de base en 1900 au beau travail d'Henri Barckhausen et que nous reproduisons ici. Par contraste avec le grand nombre des réimpressions et contrefaçons des *Lettres persanes* le bilan bibliographique, du vivant de l'auteur, paraît assez maigre.

Dès 1734, les critiques, d'autre part, ne manquèrent pas. On incrimina le décousu de la composition, l'obscurité du style, la fragilité de l'analyse et de la documentation; on parla perfidement de « la décadence de Montesquieu » : Voltaire, toujours charitable, prit plaisir à répandre le trait. Mais l'opinion sentit le non-conformisme de l'ouvrage, quitte à en être choquée. Dans ses lettres au président Bouhier, éminent érudit bourguignon, l'avocat Mathieu Marais se scandalise de ce que Montesquieu ait osé traiter

les Romains de pillards : M. Shackleton a justement
souligné l'intérêt de cette correspondance; on y voit
comment les *Considérations* étaient à même de heurter
les idées reçues. En contrepartie, il faut rappeler
qu'elles eurent en Frédéric II de Prusse un lecteur
des plus attentifs. Les francs-maçons allemands, les
philosophes français en apprécièrent la liberté intellectuelle. Malgré sa malveillance de principe envers
Montesquieu (qui la lui rendait bien) Voltaire choisit
d'imputer à la crainte de la censure l'extrême concision et les *bizarreries* qui le déconcertaient : « Il est
vrai que ce livre est très loin d'être ce qu'il devrait
être — écrit-il, en anglais, en novembre 1734 à son
ami Thieriot —; mais cependant il contient beaucoup
de choses qui méritent d'être lues, et c'est ce qui me
fâche encore plus contre l'auteur, qui a traité si légèrement une matière si importante. Cet ouvrage est
plein d'aperçus. C'est moins un livre qu'une ingénieuse
table des matières écrite dans un style bizarre. Mais
pour pouvoir s'étendre pleinement sur un pareil sujet,
il faut être libre. A Londres, un auteur peut donner
libre cours à ses pensées; ici, il doit les restreindre... »
Vingt ans plus tard, dans son *Eloge* posthume de
Montesquieu, placé en tête du cinquième volume de
l'*Encyclopédie*, d'Alembert devait tenir, mais en termes
beaucoup plus positifs et chaleureux, à peu près le
même langage :

« Un assez petit volume a suffi à Monsieur de
Montesquieu pour développer un tableau si intéres-
sant et si vaste. Comme l'auteur ne s'appesantit point
sur les détails, et ne saisit que les branches fécondes
de son sujet, il a su renfermer en très peu d'espace
un grand nombre d'objets distinctement aperçus, et
rapidement présentés, sans fatigue pour le lecteur. En
laissant beaucoup voir, il laisse encore plus à penser :
et il aurait pu intituler son livre, *histoire romaine, à
l'usage des hommes d'Etat et des philosophes.* »

Faire penser : l'intention se marque d'emblée dans la composition et le style. Ce que l'on a appelé le « désordre » des *Considérations*, anticipant sur le désordre supposé de *L'Esprit des lois*, témoigne surtout d'une volonté délibérée de solliciter sans cesse la réflexion du lecteur. Montesquieu compare la « belle prose » à un « fleuve qui roule ses eaux », mais il ne goûte pas l'abondance oratoire au point de confondre histoire et rhétorique : il regrette au contraire « de voir Tite-Live jeter ses fleurs sur ces énormes colosses de l'antiquité » et lui oppose l'exemple d'Homère « qui néglige de les parer, et qui sait si bien les faire mouvoir » (chap. v). A l'artifice des harangues, déjà condamné par Fénelon, mais qui conserve des partisans tout au long du XVIIIᵉ siècle, Montesquieu préfère la concision de la vérité. Mais il n'est pas nécessaire de faire parler les héros de l'histoire pour pratiquer celle-ci en orateur, l'exemple de Bossuet le prouve. Or la manière de Montesquieu ne ressemble guère à celle de son illustre prédécesseur, si majestueusement synthétique. Ici les chapitres se fragmentent en paragraphes de longueur inégale mais généralement brefs; sautant, comme il dit, « les idées intermédiaires », l'auteur use systématiquement de l'asyndète, cultive le paradoxe et l'antithèse, les effets de surprise et de déséquilibre, les formules ramassées, voire énigmatiques. C'est le « style bizarre » que Voltaire blâme sans comprendre qu'il est révélateur d'une attitude intellectuelle. Corrado Rosso remarque judicieusement que les œuvres de Montesquieu tendent à être des recueils de maximes, et il voit dans ce caractère l'indice d'un esprit inquiet, porté au pessimisme, et plus apte à l'analyse qu'à la synthèse. N'est-ce pas tout aussi bien une preuve d'aptitude à prendre du recul par rapport au détail des faits ? Montesquieu n'est pas plus tenté que Bossuet par l'histoire dite « événementielle »; lui aussi s'intéresse aux *causes* plus qu'à la poussière des événements. Mais l'analogie s'arrête là. Bossuet a de l'histoire universelle une vision unitaire qui s'exprime dans l'ample développement et la continuité d'un *discours*. Montesquieu

n'écrit pas un « Discours » mais des *Considérations*.
Pour lui comme pour Bossuet, l'histoire est loin de
se résumer en un banal *tout passe* ou d'être seulement la somme indéfinie de faits irréductiblement singuliers; l'un et l'autre croient possible de déceler par-
delà ce qui passe une certaine permanence; mais ils
ne conçoivent pas celle-ci de la même façon, et cette
différence de perspective apparaît dans leur manière
d'écrire. Les constantes historiques que Montesquieu
établit ne relèvent pas d'une vérité transcendante,
d'une révélation; elles appartiennent à l'ordre précaire
et discontinu des généralisations empiriques : « Il n'y
a point d'Etat qui menace si fort les autres d'une
conquête que celui qui est dans les horreurs de la
guerre civile » (chap. XI). La généralité d'une telle
maxime ne s'apparente pas à la découverte de la
présence divine dans le destin des empires; elle ne
ressortit pas à une évidence surnaturelle mais à une
sagesse tout expérimentale et elle traduit ainsi une
double certitude : rationalité de l'histoire, conviction
que le passé conserve une certaine présence.

L'histoire est rationnelle : dans le cycle de l'ascen-
sion et du déclin de Rome, Montesquieu n'aperçoit
pas plus une succession d'événements fortuits que la
manifestation visible des desseins secrets de la Providence. « Ce n'est pas la fortune qui domine le
monde... » (chap. XVIII). Entendons que, le nez de
Cléopâtre eût-il été plus court, la face du monde,
quoi qu'en dise Pascal, ne s'en serait pas trouvée
changée. L'auteur de *L'Esprit des lois* refusera de
croire les hommes « uniquement conduits par leur
fantaisie » et il s'appliquera à démêler le bien-fondé
de pratiques apparemment aberrantes. Dès 1734, il
répudie clairement tout pyrrhonisme. Bossuet l'avait
fait avant lui, mais les « causes générales » désormais
retenues sont purement terrestres. S'il arrive que Montesquieu mêle Dieu aux affaires de ce monde, c'est
pure malice; ainsi à propos de la conquête arabe
(chap. XXII) : « Dieu permit que sa religion cessât en
tant de lieux d'être dominante... » Mais Dieu n'a pas
eu à s'occuper, semble-t-il, du destin de Rome. Celui-ci

a été le développement logique d'une situation et d'un
système politiques. « Il devait arriver de deux choses
l'une : ou que Rome changerait son gouvernement,
ou qu'elle resterait une petite et pauvre monarchie
[...] ; une nation toujours en guerre, et par principe
de gouvernement, devait nécessairement périr, ou venir
à bout de toutes les autres... » (chap. I). Inversement,
une fois parvenue au faîte de la puissance, elle devait
être « nécessairement » victime de sa grandeur (chap. XI).
Ainsi les soldats d'Annibal, amollis par leurs victoires,
« n'auraient-ils pas trouvé partout Capoue ? » (chap. IV).

Ne prêtons pas à Montesquieu une vision simpliste
du déterminisme historique. Une « cause générale »
est pour lui la résultante de forces diverses. Selon la
remarque judicieuse de J. Starobinski, l'histoire romaine
n'est pas présentée, dans les *Considérations*, comme
« unicausale ». Si attentif qu'il soit aux structures politiques de Rome, l'auteur est loin de négliger, par
exemple, les questions de technique militaire. Il admet
aussi que des « causes particulières » accélèrent ou
freinent parfois l'effet des causes générales : la survie
de l'Empire byzantin jusqu'au XVe siècle, celle de l'Empire espagnol ou des Etats pontificaux dans les temps
modernes sont des paradoxes historiques qu'il est
possible d'expliquer (chap. XXIII). Montesquieu invite
toutefois son lecteur à ne pas confondre l'exception
et la règle : qu'un Etat se maintienne avec « un mauvais gouvernement », c'est un fait exceptionnel, et le
pouvoir militaire instauré à Rome par César et Auguste
portait bien en lui sa propre destruction. Tôt ou tard,
l'Empire romain *devait* s'effondrer, non par la volonté
de Dieu, mais par la « nature des choses » : sans
forcer le texte des *Romains* on peut y voir en gesta-
tion l'expression-clé de *L'Esprit des lois*. Déjà en
1734, l'analyse de Montesquieu vise à concilier l'un et
le multiple. Peut-être même y parvint-elle mieux qu'en
1748, où une matière considérablement plus riche se
laissera plus malaisément dominer. Le profil de l'histoire romaine, dramatiquement simple et contrasté,
persuade facilement l'historien de l'insuffisance des
explications de détail. « Si le hasard d'une bataille,

c'est-à-dire une cause particulière, a ruiné un Etat, il y avait une cause générale qui faisait que cet Etat devait nécessairement périr par une seule bataille » (chap. XVIII). Ce principe de méthode implique qu'il y ait proportion entre les effets et les causes; il exclut les partis pris symétriques et complémentaires du scepticisme et de la crédulité, limite du moins la part du merveilleux ou du romanesque. On s'en aperçoit dès les premières pages du livre. Rome, explique Montesquieu, devait passer de la monarchie à la république : « la mort de Lucrèce ne fut que *l'occasion* de la révolution » (chap. I).

Simple rencontre de vocabulaire ? L'historien use ici d'un mot très répandu dans le langage philosophique de son temps et que le XVIIIe siècle des Philosophes emprunte volontiers au pieux auteur de *La Recherche de la vérité*. Le problème est posé, sinon résolu, de la part qu'a pu avoir dans la formation intellectuelle de Montesquieu, et peut-être dès Juilly, le système de Malebranche. Plusieurs allusions des *Pensées* dénotent une lecture critique mais attentive de l'oratorien. L'une d'entre elles a chance d'être à peu près contemporaine de la rédaction des *Romains* : « Jamais visionnaire n'a eu plus de bon sens que le P. Malebranche. » Nous savons d'autre part que, malgré les « sophismes » qu'il lui reprochait, Montesquieu rangeait Malebranche parmi « les quatre grands poètes » de la littérature universelle, côte à côte avec Platon, Shaftesbury et Montaigne... Qu'il ironise sur la vision en Dieu ou la préexistence des germes n'exclut pas, bien au contraire, toute affinité. R. Shackleton remarque que Montesquieu applique à l'histoire ce que Malebranche disait de l'ordre du monde : les « causes particulières » jouent dans sa vision historique le même rôle que les « causes occasionnelles » dans la métaphysique de son prédécesseur. A défaut d'influence certaine il y a là au moins une indéniable convergence. C'est que le dessein est le même, en deux domaines différents. L'occasionnalisme de Malebranche visait à concilier la raison et la foi, la constance des lois naturelles et la souve-

raineté divine : Dieu n'agit que selon des lois générales, et c'est pourquoi la création est intelligible. De
même, l'histoire, selon Montesquieu, offre prise à la
raison dans la mesure où elle ne se résout pas en une
poussière de faits accidentels. « Ceci demande qu'on
y réfléchisse : sans quoi nous verrions des événements
sans les comprendre » (chap. III). Montesquieu veut
comprendre, et non pas seulement savoir. A la façon
dont il interpelle son lecteur — « Remarquez, je vous
prie, la conduite des Romains... » (chap. VI) —, à la
tension alerte de son style, à la fermeté de ses formules, on devine toute la fierté intellectuelle qu'il
éprouve à dominer une matière certes difficile mais
non irrémédiablement obscure.

Le titre complet du livre — *Considérations sur les
causes...* — indique suffisamment l'ambition d'une histoire explicative. Mais on n'explique valablement que
les faits solidement établis. Montesquieu est-il toujours assuré de ceux qu'il évoque ? N'est-il jamais
tombé dans le travers que raillait, sous la plume
alerte de Fontenelle, la célèbre anecdote de la dent
d'or ? Assurément il a beaucoup lu : non seulement
les grands classiques, mais les plus sévères érudits ou
compilateurs de l'époque impériale et des temps barbares, jusqu'à Procope, Zozime, Jornandès et Paul
Diacre. A sa façon il a le respect des textes : Camille
Jullian, qui reste le plus éclairé de ses commentateurs,
a montré que ses citations sont généralement exactes
et que s'il oublie souvent d'indiquer ses références
son analyse est toujours étayée de quelque autorité.
Mais l'identification patiente des « sources » de l'ouvrage conduit le même éditeur à des remarques moins
favorables. Montesquieu force parfois le sens des passages qu'il utilise, soit par amplification rhétorique,
soit par goût des affirmations générales. Et surtout,
bien qu'il lui arrive de discuter le témoignage de Procope (chap. XVII), sa méthode est dans l'ensemble fort
peu critique. Comment le serait-elle puisque, au lieu
de confronter témoins et documents, il se borne à
retenir dans chaque cas, sans donner ses raisons, le
texte qui s'adapte le mieux à sa démonstration, ici

Polybe, là Végèce, Appien ou Ammien Marcellin ?
Passe encore qu'il soit si peu archéologue, mais la
seule inscription qu'il mentionne, le sénatus-consulte
interdisant aux armées le passage du Rubicon (chap. XI),
est un faux du XVIᵉ siècle dont les érudits du XVIIIᵉ
soupçonnaient fortement le caractère apocryphe. Montesquieu n'a pas de ces scrupules, de même qu'il
ignore tout, semble-t-il, des travaux et discussions de
son époque. Pour évoquer les premiers temps de l'histoire romaine il préfère l'autorité de Denys d'Halicarnasse à celle de Tite-Live : choix arbitraire ou simple
coquetterie sans conséquence puisqu'il ne conçoit pas
le moindre doute quant au héros éponyme du Latium
ni à la suite traditionnelle des sept rois de Rome.
Dès 1723, Lévesque de Pouilly avait cependant discuté
celle-ci devant ses confrères de l'Académie des ins-
criptions. Montesquieu traite des origines de Rome
avec une tranquille assurance : le débat ouvert dix
ans plus tôt ne l'intéresse pas. Lorsqu'il rééditera son
livre il ne tiendra pas davantage compte de la remarquable leçon de doute méthodique donnée en 1738
par Louis de Beaufort dans sa *Dissertation sur l'in-
certitude des cinq premiers siècles de l'histoire romaine*.
Seul son rationalisme de philosophe, et non une saine
méthode historique, lui évite finalement d'être aussi
crédule que Rollin et de mériter autant que lui les
railleries de Voltaire.

« Une œuvre d'histoire au premier chef », dit cependant Camille Jullian. Aujourd'hui, où les meilleurs
historiens s'intéressent plus aux structures cachées,
relativement stables, qu'à la seule chronologie des
événements, cette appréciation prend une valeur nouvelle. Malgré ses erreurs et son manque de critique,
malgré l'étroitesse d'une perspective surtout politique
et morale, bien qu'il ait en particulier renoncé à lier
clairement le destin de Rome à sa nature de société
esclavagiste — le problème est abordé dans un fragment dont il n'a finalement pas fait usage — Montesquieu est moderne dans la mesure où il renonce
aux facilités de l'histoire narrative. Avec lui, l'histoire
cesse d'être la cousine pauvre de l'épopée et de la

tragédie, comme le voulaient encore Fénelon et même,
en 1731, le Voltaire de *Charles XII*. Moraliste et politique défiant à l'égard des héros, l'auteur des *Considérations* n'a pas non plus, comme historien, le préjugé des « grands hommes ». Il sait que leurs fautes
— ou leurs mérites — « ne sont pas toujours libres »
(chap. XVIII). Pour Montesquieu, l'histoire n'est plus
un champ clos où s'affrontent des individus d'exception, mais un enchaînement de causes et d'effets dont
la nécessité échappe en grande partie à la conscience
et à la volonté de ceux qui le vivent. Libre au poète
de se demander ce qu'il serait advenu de Rome si
César avait été autre qu'il ne fut. Pour l'historien, la
question n'a pas de sens : « Si César et Pompée avaient
pensé comme Caton, d'autres auraient pensé comme
César et Pompée » (chap. XI).

Déterminisme n'est pas fatalisme. Les hommes
subissent passivement le cours de l'histoire parce
qu'ils sont le plus souvent incapables de l'analyser.
L'action efficace est le privilège de la lucidité. C'est
pourquoi l'enquête de l'historien nourrit, chez Montesquieu, la réflexion du politique. Camille Jullian
s'étonne un peu naïvement de ce que les francs-
maçons allemands de 1742 aient pu apprécier dans
son livre une attaque contre la tyrannie et la superstition. Etonnons-nous à notre tour de cette surprise.
Car il suffit de feuilleter l'ouvrage pour s'apercevoir
que si l'auteur a connu, en l'écrivant, les joies sereines
de l'intelligence, il ne l'a pas composé par pur plaisir
de l'esprit. « Parmi tant de malheurs, on cherche,
avec une curiosité triste, le destin de la ville de Rome... »
(chap. XIX); « je n'ai pas le courage de parler des
misères qui suivirent... » (chap. XXIII). De telles formules
et cette conclusion abrupte n'ont pas le ton de la
polémique, mais elles prouvent que son sujet n'est pas
pour Montesquieu une matière morte. Si l'on peut
parler à son propos de résurrection du passé, ce n'est
pas qu'il obéisse à une sorte de divination romantique,

mais parce que ce passé lointain lui apparaît très proche du présent le plus actuel.

Il sait la différence des époques. Il n'ignore pas que l'art militaire ou la technique de la navigation ont changé depuis l'antiquité, ni que « la prestigieuse fortune des Romains » serait inconcevable dans l'Europe du XVIIIe siècle (chap. III et IV). Mais s'il aime à comparer les temps, c'est surtout pour découvrir entre eux des analogies. Toutes choses égales d'ailleurs, et la nature humaine étant, comme il le croit, partout la même, les mêmes causes ne doivent-elles pas produire les mêmes effets ? « ... comme les hommes ont eu dans tous les temps les mêmes passions, les occasions qui produisent les grands changements sont différentes, mais les causes sont toujours les mêmes » (chap. I). En ce sens, l'histoire se répète et, pour la même raison, le passé éclaire le présent. Cette conviction justifie, de la part de l'historien, l'anachronisme calculé et un incessant va-et-vient d'hier à aujourd'hui, d'aujourd'hui à hier. Elle explique que dans les *Considérations* Henri VII voisine avec Servius Tullius, Régulus avec Pierre le Grand, les trésors des Ptolémées avec les billets de la rue Quincampoix, et Rome — selon les époques — avec l'Angleterre de Walpole, la Prusse de Frédéric-Guillaume ou l'Algérie barbaresque.

A l'arrière-plan de ce livre d'histoire, toute l'expérience européenne d'un homme d'âge mûr qui a beaucoup lu, beaucoup entendu, beaucoup voyagé. Et aussi tous les grands problèmes politiques qui préoccupent vers 1730 un sujet éclairé de Louis XV. Est-ce par hasard que les questions religieuses tiennent une si grande place dans les trois derniers chapitres ? Dans une France divisée par l'interminable querelle janséniste et où le souvenir des dragonnades n'est pas effacé on n'évoque pas sans intention l'intolérance de Justinien ni la part des empereurs grecs dans les disputes des moines. Paris sera-t-il une nouvelle Byzance ? Montesquieu redoute assez les conséquences d'une « bigoterie universelle » pour suggérer hardiment la séparation du temporel et du spirituel, « cette distinction, qui est la base sur laquelle pose la tranquillité des peuples » (chap. XXII). On retrouve aussi dans son livre le propriétaire foncier attaché aux « vrais biens » de la terre et du travail, qui se méfie des richesses « d'accident » et se souvient d'avoir personnellement pâti de l'expérience de Law (chap. XVI et XVII). On y découvre en vingt passages la même hantise des vaines entreprises guerrières. « Il y a de certaines bornes que la nature a données aux Etats, pour mortifier l'ambition des hommes » (chap. V); funestes à Rome, ruineuses de tout temps, insiste l'auteur, les conquêtes militaires seraient encore plus néfastes et précaires dans l'Europe moderne. Enfin, si les préfets du prétoire étaient déjà, à son avis, autant de grands vizirs (chap. XVII), les procurateurs impériaux lui rappellent fâcheusement « nos intendants » (chap. XIV). Il faut lire les *Romains* comme une dénonciation du despotisme menaçant, et surtout comme une méditation sur les conditions concrètes de la liberté. Montesquieu y est tout entier, avec ses préjugés d'aristocrate et de parlementaire provincial, mais aussi avec ce sens aigu des équilibres nécessaires qu'il apporte à l'analyse des institutions romaines comme de la constitution anglaise. « Le gouvernement de Rome fut admirable en ce que, depuis sa naissance, sa constitution se trouva telle, soit par l'esprit du peuple, la force du sénat ou l'autorité de certains magistrats, que tout abus du pouvoir y pût toujours être corrigé » (chap. VIII). Homme d'ordre et de tradition, Bossuet voyait dans les luttes entre plébéiens et patriciens la cause principale de la ruine de la république. L'ordre instauré par Auguste apparaît au contraire à Montesquieu comme « une servitude durable » (chap. XIII). Persuadé que Rome n'a pas été victime de ses divisions mais de son extension territoriale, il s'affirme résolu partisan du pluralisme politique : « ... toutes les fois qu'on verra tout le monde tranquille dans un Etat qui se donne le nom de république, on peut être assuré que la liberté n'y est pas » (chap. IX).

Que d'autres célèbrent le siècle de Louis XIV,

nouvel Auguste! Pour Montesquieu, Auguste ne fut qu'un tyran habile et rusé, le premier d'une longue suite; pour lui, il n'y a pas de différence de nature entre la « cruelle tyrannie » de Tibère et la « tyrannie sourde » de Constantin : en fait, le déclin de Rome commence avec César. On peut contester cette vision de l'histoire romaine, déformée par un parti pris politique : au lieu d'éclairer le présent par le passé, Montesquieu n'interprète-t-il pas plus d'une fois celui-ci en fonction de celui-là ? Mais c'est le lot de l'histoire, on le sait, que d'être elle-même historique, et il est plus que douteux qu'aucun historien ait jamais réussi à s'abstraire pleinement de son milieu et de son époque. En tout cas, l'auteur des *Considérations* ne prétend pas à cette sérénité intemporelle. Faut-il lui reprocher d'avoir écrit ainsi, sur une « matière usée », un livre alerte, passionné, vivant ?

Jean EHRARD.

BIBLIOGRAPHIE

Montesquieu : *Considérations sur les causes de la grandeur et de la décadence des Romains*, édit. Camille Jullian, Paris, Hachette, 1896 (3e édit., 1906); édit. H. Barckhausen, Paris, Imprimerie Nationale, 1900.

J. Dedieu : *Montesquieu*, 1943 (Nouv. édit. mise à jour, Paris, Hatier, 1966).

J. Starobinski : *Montesquieu par lui-même*, Paris, Edit. du Seuil, 1953.

Roger B. Oake : *Montesquieu's analysis of Roman history*, *Journal of the history of ideas*, janvier 1955.

R. Shackleton : *Montesquieu. A critical biography*, Oxford University Press, 1961 (p. 146-170).

J. Ehrard et Guy Palmade : *L'Histoire*, Paris, A. Colin, 1964.

J. Ehrard : *Politique de Montesquieu*, Paris, A. Colin, 1965.

C. Rosso : *Montesquieu moralista. Dalle leggi al « bonheur »*, Pise, Editrice Libreria Goliardica, 1965.

CONSIDÉRATIONS SUR LES CAUSES DE LA GRANDEUR DES ROMAINS ET DE LEUR DÉCADENCE

CHAPITRE PREMIER

I. COMMENCEMENTS DE ROME. — II. SES GUERRES

Il ne faut pas prendre de la ville de Rome, dans ses commencements, l'idée que nous donnent les villes que nous voyons aujourd'hui, à moins que ce ne soit de celles de la Crimée, faites pour renfermer le butin, les bestiaux et les fruits de la campagne. Les noms anciens des principaux lieux de Rome ont tous du rapport à cet usage.

La Ville n'avait pas même de rues, si l'on n'appelle de ce nom la continuation des chemins qui y aboutissaient. Les maisons étaient placées sans ordre et très petites : car les hommes, toujours au travail ou dans la place publique, ne se tenaient guère dans les maisons.

Mais la grandeur de Rome parut bientôt dans ses édifices publics. Les ouvrages qui ont donné et qui donnent encore aujourd'hui la plus haute idée de sa puissance ont été faits sous les Rois[1]. On commençait déjà à bâtir la Ville Eternelle.

Romulus et ses successeurs furent presque toujours en guerre avec leurs voisins pour avoir des citoyens, des femmes ou des terres. Ils revenaient dans la Ville avec les dépouilles des peuples vaincus : c'étaient des gerbes de blé et des troupeaux; cela y causait une grande joie. Voilà l'origine des triomphes, qui furent dans la suite la principale cause des grandeurs où cette ville parvint.

---

1. Voyez l'étonnement de Denys d'Halicarnasse sur les égouts faits par Tarquin (*Ant. Rom.*, liv. III). Ils subsistent encore.

Rome accrut beaucoup ses forces par son union avec les Sabins, peuples durs et belliqueux comme les Lacédémoniens, dont ils étaient descendus. Romulus prit leur bouclier, qui était large [1], au lieu du petit bouclier argien, dont il s'était servi jusqu'alors, et on doit remarquer que ce qui a le plus contribué à rendre les Romains les maîtres du Monde, c'est qu'ayant combattu successivement contre tous les peuples ils ont toujours renoncé à leurs usages sitôt qu'ils en ont trouvé de meilleurs.

On pensait alors dans les républiques d'Italie que les traités qu'elles avaient faits avec un roi ne les obligeaient point envers son successeur; c'était pour elles une espèce de droit des gens [2]. Ainsi tout ce qui avait été soumis par un roi de Rome se prétendait libre sous un autre, et les guerres naissaient toujours des guerres.

Le règne de Numa, long et pacifique, était très propre à laisser Rome dans sa médiocrité, et, si elle eût eu dans ce temps-là un territoire moins borné et une puissance plus grande, il y a apparence que sa fortune eût été fixée pour jamais.

Une des causes de sa prospérité, c'est que ses rois furent tous de grands personnages. On ne trouve point ailleurs, dans les histoires, une suite non interrompue de tels hommes d'Etat et de tels capitaines.

Dans la naissance des sociétés, ce sont les chefs des républiques qui font l'institution, et c'est ensuite l'institution qui forme les chefs des républiques.

Tarquin prit la couronne sans être élu par le Sénat ni par le Peuple [3]. Le pouvoir devenait héréditaire; il le rendit absolu. Ces deux révolutions furent bientôt suivies d'une troisième.

Son fils Sextus, en violant Lucrèce, fit une chose qui a presque toujours fait chasser les tyrans des villes où ils ont commandé : car le Peuple, à qui une action

1. Plutarque, *Vie de Romulus*.
2. Cela paraît par toute l'histoire des rois de Rome.
3. Le Sénat nommait un magistrat de l'interrègne, qui élisait le Roi. Cette élection devait être confirmée par le Peuple. Voyez Denys d'Halic., liv. II, III et IV.

pareille fait si bien sentir sa servitude, prend d'abord une résolution extrême.

Un peuple peut aisément souffrir qu'on exige de lui de nouveaux tributs : il ne sait pas s'il ne retirera point quelque utilité de l'emploi qu'on fera de l'argent qu'on lui demande ; mais, quand on lui fait un affront, il ne sent que son malheur, et il y ajoute l'idée de tous les maux qui sont possibles.

Il est pourtant vrai que la mort de Lucrèce ne fut que l'occasion de la révolution qui arriva : car un peuple fier, entreprenant, hardi et renfermé dans des murailles, doit nécessairement secouer le joug ou adoucir ses mœurs.

Il devait arriver de deux choses l'une : ou que Rome changerait son gouvernement ; ou qu'elle resterait une petite et pauvre monarchie.

L'histoire moderne nous fournit un exemple de ce qui arriva pour lors à Rome, et ceci est bien remarquable : car, comme les hommes ont eu dans tous les temps les mêmes passions, les occasions qui produisent les grands changements sont différentes, mais les causes sont toujours les mêmes.

Comme Henri VII, roi d'Angleterre, augmenta le pouvoir des Communes pour avilir les Grands, Servius Tullius, avant lui, avait étendu les privilèges du Peuple pour abaisser le Sénat [1] ; mais le Peuple, devenu d'abord plus hardi, renversa l'une et l'autre monarchie.

Le portrait de Tarquin n'a point été flatté ; son nom n'a échappé à aucun des orateurs qui ont eu à parler contre la tyrannie. Mais sa conduite avant son malheur, que l'on voit qu'il prévoyait, sa douceur pour les peuples vaincus, sa libéralité envers les soldats, cet art qu'il eut d'intéresser tant de gens à sa conservation, ses ouvrages publics, son courage à la guerre, sa constance dans son malheur, une guerre de vingt ans qu'il fit ou qu'il fit faire au peuple romain, sans royaume et sans biens, ses continuelles ressources, font bien voir que ce n'était pas un homme méprisable.

Les places que la postérité donne sont sujettes,

1. Voyez Zonare et Denys d'Halicarnasse, liv. IV.

comme les autres, aux caprices de la Fortune. Malheur à la réputation de tout prince qui est opprimé par un parti qui devient le dominant, ou qui a tenté de détruire un préjugé qui lui survit!

Rome, ayant chassé les Rois, établit des consuls annuels; c'est encore ce qui la porta à ce haut degré de puissance. Les princes ont dans leur vie des périodes d'ambition; après quoi, d'autres passions et l'oisiveté même succèdent. Mais, la République ayant des chefs qui changeaient tous les ans, et qui cherchaient à signaler leur magistrature pour en obtenir de nouvelles, il n'y avait pas un moment de perdu pour l'ambition : ils engageaient le Sénat à proposer au Peuple la guerre et lui montraient tous les jours de nouveaux ennemis.

Ce corps y était déjà assez porté de lui-même : car, étant fatigué sans cesse par les plaintes et les demandes du Peuple, il cherchait à le distraire de ses inquiétudes et à l'occuper au-dehors[1].

Or la guerre était presque toujours agréable au Peuple, parce que, par la sage distribution du butin, on avait trouvé le moyen de la lui rendre utile.

Rome étant une ville sans commerce et presque sans arts, le pillage était le seul moyen que les particuliers eussent pour s'enrichir.

On avait donc mis de la discipline dans la manière de piller, et on y observait à peu près le même ordre qui se pratique aujourd'hui chez les Petits Tartares.

Le butin était mis en commun, et on le distribuait aux soldats[2]. Rien n'était perdu, parce qu'avant de partir chacun avait juré qu'il ne détournerait rien à son profit. Or les Romains étaient le peuple du Monde le plus religieux sur le serment, qui fut toujours le nerf de leur discipline militaire.

Enfin, les citoyens qui restaient dans la Ville jouissaient aussi des fruits de la victoire. On confisquait une partie des terres du peuple vaincu, dont on fai-

1. D'ailleurs, l'autorité du Sénat était moins bornée dans les affaires du dehors que dans celles de la Ville.
2. Voyez Polybe, liv. X.

sait deux parts : l'une se vendait au profit du Public ;
l'autre était distribuée aux pauvres citoyens, sous la
charge d'une rente en faveur de la République.

Les consuls, ne pouvant obtenir l'honneur du
triomphe que par une conquête ou une victoire, faisaient la guerre avec une impétuosité extrême : on
allait droit à l'ennemi, et la force décidait d'abord.

Rome était donc dans une guerre éternelle et toujours violente. Or une nation toujours en guerre, et
par principe de gouvernement, devait nécessairement
périr ou venir à bout de toutes les autres, qui, tantôt
en guerre, tantôt en paix, n'étaient jamais si propres à
attaquer, ni si préparées à se défendre.

Par là, les Romains acquirent une profonde connaissance de l'art militaire. Dans les guerres passagères,
la plupart des exemples sont perdus : la paix donne
d'autres idées, et on oublie ses fautes et ses vertus
mêmes.

Une autre suite du principe de la guerre continuelle
fut que les Romains ne firent jamais la paix que vainqueurs. En effet, à quoi bon faire une paix honteuse
avec un peuple, pour en aller attaquer un autre ?

Dans cette idée, ils augmentaient toujours leurs prétentions à mesure de leurs défaites; par là, ils consternaient les vainqueurs et s'imposaient à eux-mêmes
une plus grande nécessité de vaincre.

Toujours exposés aux plus affreuses vengeances, la
constance et la valeur leur devinrent nécessaires, et ces
vertus ne purent être distinguées chez eux de l'amour de
soi-même, de sa famille, de sa patrie et de tout ce qu'il
y a de plus cher parmi les hommes.

Les peuples d'Italie n'avaient aucun usage des
machines propres à faire les sièges [1], et, de plus, les
soldats n'ayant point de paye, on ne pouvait pas les

1. Denys d'Halicarnasse le dit formellement, liv. IX, et cela
paraît par l'histoire. Ils ne savaient point faire de galeries pour
se mettre à couvert des assiégés; ils tâchaient de prendre les
villes par escalade. Ephorus a écrit qu'Artémon, ingénieur,
inventa les grosses machines pour battre les plus fortes murailles.
Périclès s'en servit le premier au siège de Samos, dit Plutarque
(*Vie de Périclès*).

retenir longtemps devant une place; ainsi peu de leurs guerres étaient décisives. On se battait pour avoir le pillage du camp ennemi ou de ses terres; après quoi le vainqueur et le vaincu se retiraient chacun dans sa ville. C'est ce qui fit la résistance des peuples d'Italie et, en même temps, l'opiniâtreté des Romains à les subjuguer; c'est ce qui donna à ceux-ci des victoires qui ne les corrompirent point, et qui leur laissèrent toute leur pauvreté.

S'ils avaient rapidement conquis toutes les villes voisines, ils se seraient trouvés dans la décadence à l'arrivée de Pyrrhus, des Gaulois et d'Annibal, et, par la destinée de presque tous les Etats du Monde, ils auraient passé trop vite de la pauvreté aux richesses et des richesses à la corruption.

Mais Rome, faisant toujours des efforts et trouvant toujours des obstacles, faisait sentir sa puissance sans pouvoir l'étendre, et, dans une circonférence très petite, elle s'exerçait à des vertus qui devaient être si fatales à l'Univers.

Tous les peuples d'Italie n'étaient pas également belliqueux : les Toscans étaient amollis par leurs richesses et par leur luxe; les Tarentins, les Capouans, presque toutes les villes de la Campanie et de la Grande-Grèce, languissaient dans l'oisiveté et dans les plaisirs. Mais les Latins, les Herniques, les Sabins, les Eques et les Volsques aimaient passionnément la guerre; ils étaient autour de Rome; ils lui firent une résistance inconcevable et furent ses maîtres en fait d'opiniâtreté.

Les villes latines étaient des colonies d'Albe qui furent fondées par Latinus Sylvius [1]. Outre une origine commune avec les Romains, elles avaient encore des rites communs, et Servius Tullius les avait engagées à faire bâtir un temple dans Rome, pour être le centre de l'union des deux peuples [2]. Ayant perdu une grande bataille auprès du Lac Régille, elles furent soumises à

1. Comme on le voit dans le traité intitulé : *Origo Gentis Romanæ*, qu'on croit être d'Aurelius Victor.
2. Denys d'Halicarnasse, liv. IV.

une alliance et une société de guerres avec les Romains[1].

On vit manifestement, pendant le peu de temps que dura la tyrannie des Décemvirs, à quel point l'agrandissement de Rome dépendait de sa liberté : l'Etat sembla avoir perdu l'âme qui le faisait mouvoir[2].

Il n'y eut plus dans la Ville que deux sortes de gens : ceux qui souffraient la servitude, et ceux qui, pour leurs intérêts particuliers, cherchaient à la faire souffrir. Les sénateurs se retirèrent de Rome comme d'une ville étrangère, et les peuples voisins ne trouvèrent de résistance nulle part.

Le Sénat ayant eu le moyen de donner une paye aux soldats, le siège de Veïes fut entrepris ; il dura dix ans. On vit un nouvel art chez les Romains et une autre manière de faire la guerre : leurs succès furent plus éclatants ; ils profitèrent mieux de leurs victoires ; ils firent de plus grandes conquêtes ; ils envoyèrent plus de colonies ; enfin, la prise de Veïes fut une espèce de révolution.

Mais les travaux ne furent pas moindres. S'ils portèrent de plus rudes coups aux Toscans, aux Eques et aux Volsques, cela même fit que les Latins et les Herniques, leurs alliés, qui avaient les mêmes armes et la même discipline qu'eux, les abandonnèrent ; que des ligues se formèrent chez les Toscans ; et que les Samnites, les plus belliqueux de tous les peuples de l'Italie, leur firent la guerre avec fureur.

Depuis l'établissement de la paye, le Sénat ne distribua plus aux soldats les terres des peuples vaincus ; il imposa d'autres conditions : il les obligea, par exemple, de fournir à l'armée une solde pendant un certain temps, de lui donner du blé et des habits[3].

La prise de Rome par les Gaulois ne lui ôta rien de ses forces : l'armée, plus dissipée que vaincue, se retira presque entière à Veïes ; le Peuple se sauva dans les villes voisines ; et l'incendie de la Ville ne fut que l'incendie de quelques cabanes de pasteurs.

1. Voyez dans Denys d'Halicarnasse, liv. VI, un des traités faits avec eux.
2. Sous prétexte de donner au Peuple des lois écrites, ils se saisirent du gouvernement. Voyez Denys d'Halicarnasse, liv. XI.
3. Voyez les traités qui furent faits.

CHAPITRE II

DE L'ART DE LA GUERRE CHEZ LES ROMAINS

Les Romains se destinant à la guerre et la regardant comme le seul art, ils mirent tout leur esprit et toutes leurs pensées à le perfectionner. C'est sans doute un Dieu, dit Végèce [1], qui leur inspira la légion.

Ils jugèrent qu'il fallait donner aux soldats de la légion des armes offensives et défensives plus fortes et plus pesantes que celles de quelque autre peuple que ce fût [2].

Mais, comme il y a des choses à faire dans la guerre dont un corps pesant n'est pas capable, ils voulurent que la légion contînt dans son sein une troupe légère qui pût en sortir pour engager le combat, et, si la nécessité l'exigeait, s'y retirer; qu'elle eût encore de la cavalerie, des hommes de trait et des frondeurs pour poursuivre les fuyards et achever la victoire; qu'elle fût défendue par toute sorte de machines de guerre qu'elle traînait avec elle; que, chaque fois, elle se retranchât et fût, comme dit Végèce [3], une espèce de place de guerre.

Pour qu'ils pussent avoir des armes plus pesantes

1. Liv. II, chap. I.
2. Voyez dans Polybe et dans Josèphe (*De Bello Judaico*, liv. II), quelles étaient les armes du soldat romain. Il y a peu de différence, dit ce dernier, entre les chevaux chargés et les soldats romains. « Ils portent, dit Cicéron, leur nourriture pour plus de quinze jours, tout ce qui est à leur usage, tout ce qu'il faut pour se fortifier, et, à l'égard de leurs armes, ils n'en sont pas plus embarrassés que de leurs mains » (*Tuscul.*, liv. III).
3. Lib. II, cap. XXV.

que celles des autres hommes, il fallait qu'ils se rendissent plus qu'hommes; c'est ce qu'ils firent par un travail continuel qui augmentait leur force, et par des exercices qui leur donnaient de l'adresse, laquelle n'est autre chose qu'une juste dispensation des forces que l'on a.

Nous remarquons aujourd'hui que nos armées périssent beaucoup par le travail immodéré des soldats[1], et, cependant, c'était par un travail immense que les Romains se conservaient. La raison en est, je crois, que leurs fatigues étaient continuelles, au lieu que nos soldats passent sans cesse d'un travail extrême à une extrême oisiveté, ce qui est la chose du Monde la plus propre à les faire périr.

Il faut que je rapporte ici ce que les auteurs nous disent de l'éducation des soldats romains[2]. On les accoutumait à aller le pas militaire, c'est-à-dire à faire en cinq heures vingt milles, et quelquefois vingt-quatre. Pendant ces marches, on leur faisait porter des poids de soixante livres. On les entretenait dans l'habitude de courir et de sauter tout armés; ils prenaient, dans leurs exercices, des épées, des javelots, des flèches d'une pesanteur double des armes ordinaires, et ces exercices étaient continuels[3].

Ce n'était pas seulement dans le camp qu'était l'école militaire : il y avait dans la Ville un lieu où les citoyens allaient s'exercer (c'était le Champ de Mars). Après le travail, ils se jetaient dans le Tibre, pour s'entretenir dans l'habitude de nager et nettoyer la poussière et la sueur[4].

Nous n'avons plus une juste idée des exercices du corps : un homme qui s'y applique trop nous paraît

1. Surtout par le fouillement des terres.
2. Voyez Végèce, liv. I. Voyez dans Tite-Live, liv. XXVI, les exercices que Scipion l'Africain faisait faire aux soldats après la prise de Carthage-la-Neuve. Marius, malgré sa vieillesse, allait tous les jours au Champ de Mars. Pompée, à l'âge de cinquante-huit ans, allait combattre tout armé avec les jeunes gens; il montait à cheval, courait à bride abattue, et lançait ses javelots. (Plutarque, *Vie de Marius et de Pompée*.)
3. Végèce, liv. I.
4. Végèce, *ibid.*

méprisable, par la raison que la plupart de ces exercices n'ont plus d'autre objet que les agréments, au
lieu que, chez les Anciens, tout, jusqu'à la danse, faisait partie de l'art militaire.

Il est même arrivé parmi nous qu'une adresse trop
recherchée dans l'usage des armes dont nous nous
servons à la guerre est devenue ridicule, parce que,
depuis l'introduction de la coutume des combats
singuliers, l'escrime a été regardée comme la science
des querelleurs ou des poltrons.

Ceux qui critiquent Homère de ce qu'il relève ordinairement dans ses héros la force, l'adresse ou l'agilité
du corps, devraient trouver Salluste bien ridicule, qui
loue Pompée de ce qu'il courait, sautait et portait un
fardeau aussi bien qu'homme de son temps[1].

Toutes les fois que les Romains se crurent en danger, ou qu'ils voulurent réparer quelque perte, ce fut
une pratique constante chez eux d'affermir la discipline militaire. Ont-ils à faire la guerre aux Latins,
peuples aussi aguerris qu'eux-mêmes ? Manlius songe
à augmenter la force du commandement et fait mourir son fils, qui avait vaincu sans son ordre. Sont-ils
battus à Numance ? Scipion Emilien les prive d'abord
de tout ce qui les avait amollis[2]. Les légions romaines
ont-elles passé sous le joug en Numidie ? Métellus
répare cette honte dès qu'il leur a fait reprendre
les institutions anciennes. Marius, pour battre les
Cimbres et les Teutons, commence par détourner les
fleuves, et Sylla fait si bien travailler les soldats de
son armée, effrayée de la guerre contre Mithridate,
qu'ils lui demandent le combat comme la fin de leurs
peines[3].

Publius Nasica, sans besoin, leur fit construire une
armée navale : on craignait plus l'oisiveté que les
ennemis.

1. *Cum alacribus saltu, cum velocibus cursu, cum validis vecte
certabat* (Fragm. de Salluste rapporté par Végèce, liv. I, chap. IX).
2. Il vendit toutes les bêtes de somme de l'armée et fit porter
à chaque soldat du blé pour trente jours, et sept pieux. (*Somm.*
de Florus, liv. LVII.)
3. Frontin, *Stratagem.*, liv. I, chap. XI.

Aulu-Gelle donne d'assez mauvaises raisons de la coutume des Romains de faire saigner les soldats qui avaient commis quelque faute[1] : la vraie est que, la force étant la principale qualité du soldat, c'était le dégrader que de l'affaiblir.

Des hommes si endurcis étaient ordinairement sains ; on ne remarque pas dans les auteurs que les armées romaines, qui faisaient la guerre en tant de climats, périssent beaucoup par les maladies ; au lieu qu'il arrive presque continuellement aujourd'hui que des armées, sans avoir combattu, se fondent, pour ainsi dire, dans une campagne.

Parmi nous, les désertions sont fréquentes, parce que les soldats sont la plus vile partie de chaque nation, et qu'il n'y en a aucune qui ait ou qui croie avoir un certain avantage sur les autres. Chez les Romains, elles étaient plus rares : des soldats tirés du sein d'un peuple si fier, si orgueilleux, si sûr de commander aux autres, ne pouvaient guère penser à s'avilir jusqu'à cesser d'être Romains.

Comme leurs armées n'étaient pas nombreuses, il était aisé de pourvoir à leur subsistance ; le chef pouvait mieux les connaître et voyait plus aisément les fautes et les violations de la discipline.

La force de leurs exercices, les chemins admirables qu'ils avaient construits, les mettaient en état de faire des marches longues et rapides[2]. Leur présence inopinée glaçait les esprits : ils se montraient, surtout après un mauvais succès, dans le temps que leurs ennemis étaient dans cette négligence que donne la victoire.

Dans nos combats d'aujourd'hui, un particulier n'a guère de confiance qu'en la multitude ; mais chaque Romain, plus robuste et plus aguerri que son ennemi, comptait toujours sur lui-même ; il avait naturellement du courage, c'est-à-dire de cette vertu qui est le sentiment de ses propres forces.

---

1. Liv, X, chap. VIII.
2. Voyez surtout la défaite d'Asdrubal et leur diligence contre Viriatus.

Leurs troupes étant toujours les mieux disciplinées, il était difficile que, dans le combat le plus malheureux, ils ne se ralliassent quelque part, ou que le désordre ne se mît quelque part chez les ennemis. Aussi les voit-on continuellement, dans les histoires, quoique surmontés dans le commencement par le nombre ou par l'ardeur des ennemis, arracher enfin la victoire de leurs mains.

Leur principale attention était d'examiner en quoi leur ennemi pouvait avoir de la supériorité sur eux, et d'abord ils y mettaient ordre. Ils s'accoutumèrent à voir le sang et les blessures dans les spectacles des gladiateurs, qu'ils prirent des Etrusques [1].

Les épées tranchantes des Gaulois [2], les éléphants de Pyrrhus, ne les surprirent qu'une fois. Ils suppléèrent à la faiblesse de leur cavalerie [3], d'abord, en ôtant les brides des chevaux, pour que l'impétuosité n'en pût être arrêtée ; ensuite, en y mêlant des vélites [4]. Quand ils eurent connu l'épée espagnole, ils quittèrent la leur [5]. Ils éludèrent la science des pilotes par l'invention d'une machine que Polybe nous a décrite. Enfin, comme dit Josèphe [6], la guerre était pour eux une méditation ; la paix, un exercice.

Si quelque nation tint de la Nature ou de son institution quelque avantage particulier, ils en firent d'abord usage ; ils n'oublièrent rien pour avoir des

1. Fragm. de Nicolas de Damas. liv. X, tiré d'Athénée, liv. IV. Avant que les soldats partissent pour l'armée, on leur donnait un combat de gladiateurs. (Jules Capit., *Vie de Maxime et de Balbin*.)

2. Les Romains présentaient leurs javelots, qui recevaient les coups des épées gauloises et les émoussaient.

3. Elle fut encore meilleure que celle des petits peuples d'Italie. On la formait des principaux citoyens, à qui le Public entretenait un cheval. Quand elle mettait pied à terre, il n'y avait point d'infanterie plus redoutable, et très souvent elle déterminait la victoire.

4. C'étaient de jeunes hommes légèrement armés, et les plus agiles de la légion, qui, au moindre signal, sautaient sur la croupe des chevaux ou combattaient à pied. (Val. Max., liv. II ; Tite-Live, liv. XXVI.)

5. Fragm. de Polybe rapporté par Suidas au mot Μάχαιρ.

6. *De Bello Judaico*, liv. II.

chevaux numides, des archers crétois, des frondeurs baléares, des vaisseaux rhodiens.

Enfin, jamais nation ne prépara la guerre avec tant de prudence et ne la fit avec tant d'audace.

CHAPITRE III

COMMENT LES ROMAINS PURENT S'AGRANDIR

Comme les peuples de l'Europe ont, dans ces temps-ci, à peu près les mêmes arts, les mêmes armes, la même discipline et la même manière de faire la guerre, la prodigieuse fortune des Romains nous paraît inconcevable. D'ailleurs, il y a aujourd'hui une telle disproportion dans la puissance qu'il n'est pas possible qu'un petit Etat sorte, par ses propres forces, de l'abaissement où la Providence l'a mis.

Ceci demande qu'on y réfléchisse; sans quoi, nous verrions des événements sans les comprendre, et, ne sentant pas bien la différence des situations, nous croirions, en lisant l'histoire ancienne, voir d'autres hommes que nous.

Une expérience continuelle a pu faire connaître en Europe qu'un prince qui a un million de sujets ne peut, sans se détruire lui-même, entretenir plus de dix mille hommes de troupe; il n'y a donc que les grandes nations qui aient des armées.

Il n'en était pas de même dans les anciennes républiques : car cette proportion des soldats au reste du Peuple, qui est aujourd'hui comme d'un à cent, y pouvait être aisément comme d'un à huit.

Les fondateurs des anciennes républiques avaient également partagé les terres. Cela seul faisait un peuple puissant, c'est-à-dire une société bien réglée. Cela faisait aussi une bonne armée, chacun ayant un égal intérêt, et très grand, à défendre sa patrie.

Quand les lois n'étaient plus rigidement observées, les choses revenaient au point où elles sont à présent parmi nous : l'avarice de quelques particuliers et la prodigalité des autres faisaient passer les fonds de terre dans peu de mains, et d'abord les arts s'introduisaient pour les besoins mutuels des riches et des pauvres. Cela faisait qu'il n'y avait presque plus de citoyens ni de soldats : car les fonds de terre destinés auparavant à l'entretien de ces derniers étaient employés à celui des esclaves et des artisans, instruments du luxe des nouveaux possesseurs ; sans quoi l'Etat, qui malgré son dérèglement doit subsister, aurait péri. Avant la corruption, les revenus primitifs de l'Etat étaient partagés entre les soldats, c'est-à-dire les laboureurs ; lorsque la République était corrompue, ils passaient d'abord à des hommes riches, qui les rendaient aux esclaves et aux artisans ; d'où on en retirait, par le moyen des tributs, une partie pour l'entretien des soldats.

Or ces sortes de gens n'étaient guère propres à la guerre : ils étaient lâches et déjà corrompus par le luxe des villes et souvent par leur art même ; outre que, comme ils n'avaient point proprement de patrie, et qu'ils jouissaient de leur industrie partout, ils avaient peu à perdre ou à conserver.

Dans un dénombrement de Rome fait quelque temps après l'expulsion des Rois [1], et dans celui que Démétrius de Phalère fit à Athènes [2], il se trouva, à peu près, le même nombre d'habitants : Rome en avait quatre cent quarante mille ; Athènes, quatre cent trente et un mille. Mais ce dénombrement de Rome tombe dans un temps où elle était dans la force de son institution, et celui d'Athènes, dans un temps où elle était entièrement corrompue. On trouva que le nombre des citoyens pubères faisait à Rome le quart de ses habitants, et qu'il faisait à Athènes un peu moins du vingtième. La puissance de Rome était donc à celle d'Athènes, dans ces divers temps, à peu près comme

1. C'est le dénombrement dont parle Denys d'Halicarnasse dans le liv. IX, art. 25, et qui me paraît être le même que celui qu'il rapporte à la fin de son sixième livre, qui fut fait seize ans après l'expulsion des Rois.
2. Ctésiclès, dans Athénée, liv. VI.

un quart est à un vingtième, c'est-à-dire qu'elle était cinq fois plus grande.

Les rois Agis et Cléoménès voyant qu'au lieu de neuf mille citoyens qui étaient à Sparte du temps de Lycurge [1], il n'y en avait plus que sept cents, dont à peine cent possédaient des terres [2], et que tout le reste n'était qu'une populace sans courage, ils entreprirent de rétablir les lois à cet égard [3], et Lacédémone reprit sa première puissance et redevint formidable à tous les Grecs.

Ce fut le partage égal des terres qui rendit Rome capable de sortir d'abord de son abaissement, et cela se sentit bien quand elle fut corrompue.

Elle était une petite république lorsque, les Latins ayant refusé le secours de troupes qu'ils étaient obligés de donner [4], on leva sur-le-champ dix légions dans la Ville. « A peine à présent, dit Tite-Live, Rome, que le Monde entier ne peut contenir, en pourrait-elle faire autant si un ennemi paraissait tout à coup devant ses murailles : marque certaine que nous ne nous sommes point agrandis, et que nous n'avons fait qu'augmenter le luxe et les richesses qui nous travaillent. »

« Dites-moi, disait Tiberius Gracchus aux Nobles [5], qui vaut mieux, un citoyen ou un esclave perpétuel, un soldat ou un homme inutile à la guerre ? Voulez-vous, pour avoir quelques arpents de terre plus que les autres citoyens, renoncer à l'espérance de la conquête du reste du Monde ou vous mettre en danger de vous voir enlever par les ennemis ces terres que vous nous refusez ? »

1. C'étaient des citoyens de la Ville, appelés proprement *Spartiates*. Lycurge fit pour eux neuf mille parts; il en donna trente mille aux autres habitants. Voyez Plutarque, *Vie de Lycurge*.
2. Voyez Plutarque, *Vie d'Agis et de Cléoménès*.
3. Voyez Plutarque, *ibid*.
4. Tite-Live, 1re décade, liv. VII. Ce fut quelque temps après la prise de Rome, sous le consulat de L. Furius Camillus et d'Ap. Claudius Crassus.
5. Appian, *De la Guerre civile*, liv. I.

CHAPITRE IV

Les Romains eurent bien des guerres avec les Gaulois. L'amour de la gloire, le mépris de la mort, l'obstination pour vaincre, étaient les mêmes dans les deux peuples; mais les armes étaient différentes; le bouclier des Gaulois était petit, et leur épée, mauvaise. Aussi furent-ils traités à peu près comme, dans les derniers siècles, les Mexicains l'ont été par les Espagnols. Et ce qu'il y a de surprenant, c'est que ces peuples, que les Romains rencontrèrent dans presque tous les lieux et dans presque tous les temps, se laissèrent détruire les uns après les autres, sans jamais connaître, chercher, ni prévenir la cause de leurs malheurs.

Pyrrhus vint faire la guerre aux Romains dans le temps qu'ils étaient en état de lui résister et de s'instruire par ses victoires ; il leur apprit à se retrancher, à choisir et à disposer un camp; il les accoutuma aux éléphants et les prépara pour de plus grandes guerres.

La grandeur de Pyrrhus ne consistait que dans ses qualités personnelles [1]. Plutarque nous dit qu'il fut obligé de faire la guerre de Macédoine parce qu'il ne pouvait entretenir six mille hommes de pied et cinq cents chevaux qu'il avait [2]. Ce prince, maître

---

1. Voyez un fragment du liv. I de Dion, dans l'*Extrait des Vertus et des Vices*.
2. *Vie de Pyrrhus*.

d'un petit Etat dont on n'a plus entendu parler après
lui, était un aventurier qui faisait des entreprises continuelles parce qu'il ne pouvait subsister qu'en entreprenant.

Tarente, son alliée, avait bien dégénéré de l'institution des Lacédémoniens, ses ancêtres [1]. Il aurait pu
faire de grandes choses avec les Samnites ; mais les
Romains les avaient presque détruits.

Carthage, devenue riche plus tôt que Rome, avait
aussi été plus tôt corrompue : ainsi, pendant qu'à
Rome les emplois publics ne s'obtenaient que par la
vertu et ne donnaient d'utilité que l'honneur et une
préférence aux fatigues, tout ce que le Public peut
donner aux particuliers se vendait à Carthage, et tout
service rendu par les particuliers y était payé par le
Public.

La tyrannie d'un prince ne met pas un Etat plus
près de sa ruine que l'indifférence pour le bien commun
n'y met une république. L'avantage d'un Etat libre
est que les revenus y sont mieux administrés. Mais
lorsqu'ils le sont plus mal ? L'avantage d'un Etat libre
est qu'il n'y a point de favoris. Mais, quand cela n'est
pas, et qu'au lieu des amis et des parents du Prince
il faut faire la fortune des amis et des parents de tous
ceux qui ont part au gouvernement, tout est perdu ;
les lois sont éludées plus dangereusement qu'elles ne
sont violées par un prince, qui, étant toujours le plus
grand citoyen de l'Etat, a le plus d'intérêt à sa conservation.

Des anciennes mœurs, un certain usage de la pauvreté, rendaient à Rome les fortunes à peu près égales ;
mais, à Carthage, des particuliers avaient les richesses
des rois.

De deux factions qui régnaient à Carthage, l'une
voulait toujours la paix, et l'autre, toujours la guerre ;
de façon qu'il était impossible d'y jouir de l'une, ni
d'y bien faire l'autre.

Pendant qu'à Rome la guerre réunissait d'abord

1. Justin, liv. XX.

tous les intérêts, elle les séparait encore plus à Carthage [1].

Dans les Etats gouvernés par un prince, les divisions s'apaisent aisément, parce qu'il a dans ses mains une puissance coercitive qui ramène les deux partis; mais, dans une république, elles sont plus durables, parce que le mal attaque ordinairement la puissance même qui pourrait le guérir.

A Rome, gouvernée par les lois, le Peuple souffrait que le Sénat eût la direction des affaires. A Carthage, gouvernée par des abus, le Peuple voulait tout faire par lui-même.

Carthage, qui faisait la guerre avec son opulence contre la pauvreté romaine, avait par cela même du désavantage; l'or et l'argent s'épuisent; mais la vertu, la constance, la force et la pauvreté ne s'épuisent jamais.

Les Romains étaient ambitieux par orgueil, et les Carthaginois, par avarice; les uns voulaient commander, les autres voulaient acquérir; et ces derniers, calculant sans cesse la recette et la dépense, firent toujours la guerre sans l'aimer.

Des batailles perdues, la diminution du Peuple, l'affaiblissement du commerce, l'épuisement du trésor public, le soulèvement des nations voisines, pouvaient faire accepter à Carthage les conditions de paix les plus dures. Mais Rome ne se conduisait point par le sentiment des biens et des maux : elle ne se déterminait que par sa gloire, et, comme elle n'imaginait point qu'elle pût être si elle ne commandait pas, il n'y avait point d'espérance ni de crainte qui pût l'obliger à faire une paix qu'elle n'aurait point imposée.

Il n'y a rien de si puissant qu'une république où l'on observe les lois, non pas par crainte, non pas par

___

1. La présence d'Annibal fit cesser parmi les Romains toutes les divisions. Mais la présence de Scipion aigrit celles qui étaient déjà parmi les Carthaginois; elle ôta au Gouvernement tout ce qui lui restait de force; les généraux, le Sénat, les Grands, devinrent plus suspects au Peuple, et le Peuple devint plus furieux. Voyez dans Appien toute cette guerre du premier Scipion.

raison, mais par passion, comme furent Rome et Lacédémone : car, pour lors, il se joint à la sagesse d'un bon gouvernement toute la force que pourrait avoir une faction.

Les Carthaginois se servaient de troupes étrangères, et les Romains employaient les leurs. Comme ces derniers n'avaient jamais regardé les vaincus que comme des instruments pour des triomphes futurs, ils rendirent soldats tous les peuples qu'ils avaient soumis, et plus ils eurent de peine à les vaincre, plus ils les jugèrent propres à être incorporés dans leur république. Ainsi nous voyons les Samnites, qui ne furent subjugués qu'après vingt-quatre triomphes [1], devenir les auxiliaires des Romains, et, quelque temps avant la seconde guerre punique, ils tirèrent d'eux et de leurs alliés, c'est-à-dire d'un pays qui n'était guère plus grand que les Etats du Pape et de Naples, sept cent mille hommes de pied et soixante et dix mille de cheval, pour opposer aux Gaulois [2].

Dans le fort de la seconde guerre punique, Rome eut toujours sur pied de vingt-deux à vingt-quatre légions ; cependant il paraît par Tite-Live que le cens n'était pour lors que d'environ cent trente-sept mille citoyens.

Carthage employait plus de forces pour attaquer ; Rome, pour se défendre : celle-ci, comme on vient de dire, arma un nombre d'hommes prodigieux contre les Gaulois et Annibal, qui l'attaquaient, et elle n'envoya que deux légions contre les plus grands rois ; ce qui rendit ses forces éternelles.

L'établissement de Carthage dans son pays était moins solide que celui de Rome dans le sien. Cette dernière avait trente colonies autour d'elle, qui en étaient comme les remparts [3]. Avant la bataille de Cannes, aucun allié ne l'avait abandonnée ; c'est que les Samnites et les autres peuples d'Italie étaient accoutumés à sa domination.

1. Flor., liv. I.
2. Voyez Polybe. Le *Sommaire* de Florus dit qu'ils levèrent trois cent mille hommes dans la Ville et chez les Latins.
3. Tite-Live, liv. XXVII.

La plupart des villes d'Afrique, étant peu fortifiées, se rendaient d'abord à quiconque se présentait pour les prendre. Aussi tous ceux qui y débarquèrent, Agathocle, Regulus, Scipion, mirent-ils d'abord Carthage au désespoir.

On ne peut guère attribuer qu'à un mauvais gouvernement ce qui leur arriva dans toute la guerre que leur fit le premier Scipion : leur ville et leurs armées même étaient affamées, tandis que les Romains étaient dans l'abondance de toutes choses [1].

Chez les Carthaginois, les armées qui avaient été battues devenaient plus insolentes ; quelquefois elles mettaient en croix leurs généraux et les punissaient de leur propre lâcheté. Chez les Romains, le consul décimait les troupes qui avaient fui, et les ramenait contre les ennemis.

Le gouvernement des Carthaginois était très dur [2] : ils avaient si fort tourmenté les peuples d'Espagne que, lorsque les Romains y arrivèrent, ils furent regardés comme des libérateurs, et, si l'on fait attention aux sommes immenses qu'il leur en coûta pour soutenir une guerre où ils succombèrent, on verra bien que l'Injustice est mauvaise ménagère, et qu'elle ne remplit pas même ses vues.

La fondation d'Alexandrie avait beaucoup diminué le commerce de Carthage. Dans les premiers temps, la superstition bannissait en quelque façon les étrangers de l'Egypte, et, lorsque les Perses l'eurent conquise, ils n'avaient songé qu'à affaiblir leurs nouveaux sujets. Mais, sous les rois grecs, l'Egypte fit presque tout le commerce du Monde, et celui de Carthage commença à déchoir.

Les puissances établies par le commerce peuvent subsister longtemps dans leur médiocrité ; mais leur grandeur est de peu de durée. Elles s'élèvent peu à peu et sans que personne s'en aperçoive ; car elles ne font aucun acte particulier qui fasse du bruit et signale

---

1. Voyez Appien, *Liber Libycus*.
2. Voyez ce que Polybe dit de leurs exactions, surtout dans le fragm. du liv. IX, *Extr. des Vertus et des Vices*.

leur puissance. Mais, lorsque la chose est venue au point qu'on ne peut plus s'empêcher de la voir, chacun cherche à priver cette nation d'un avantage qu'elle n'a pris, pour ainsi dire, que par surprise.

La cavalerie carthaginoise valait mieux que la romaine par deux raisons : l'une, que les chevaux numides et espagnols étaient meilleurs que ceux d'Italie, et l'autre, que la cavalerie romaine était mal armée : car ce ne fut que dans les guerres que les Romains firent en Grèce qu'ils changèrent de manière, comme nous l'apprenons de Polybe [1].

Dans la première guerre punique, Regulus fut battu dès que les Carthaginois choisirent les plaines pour faire combattre leur cavalerie, et, dans la seconde [2], Annibal dut à ses Numides ses principales victoires.

Scipion, ayant conquis l'Espagne et fait alliance avec Massinisse, ôta aux Carthaginois cette supériorité ; ce fut la cavalerie numide qui gagna la bataille de Zama et finit la guerre.

Les Carthaginois avaient plus d'expérience sur la mer et connaissaient mieux la manœuvre que les Romains ; mais il me semble que cet avantage n'était pas pour lors si grand qu'il le serait aujourd'hui.

Les Anciens, n'ayant pas la boussole, ne pouvaient guère naviguer que sur les côtes ; aussi ils ne se servaient que de bâtiments à rames, petits et plats ; presque toutes les rades étaient pour eux des ports ; la science des pilotes était très bornée, et leur manœuvre, très peu de chose. Aussi Aristote disait-il qu'il était inutile d'avoir un corps de mariniers, et que les laboureurs suffisaient pour cela [3].

L'art était si imparfait qu'on ne faisait guère avec mille rames que ce qui se fait aujourd'hui avec cent [4].

Les grands vaisseaux étaient désavantageux, en ce

1. Livre VI.
2. Des corps entiers de Numides passèrent du côté des Romains, qui, dès lors, commencèrent à respirer.
3. *Polit.*, liv. VII, chap. VI.
4. Voyez ce que dit Perrault sur les rames des Anciens : *Essai de Physique*, tit. III ; *Méchanique des Animaux.*

qu'étant difficilement mus par la chiourme ils ne pouvaient pas faire les évolutions nécessaires. Antoine en fit à Actium une funeste expérience [1] : ses navires ne pouvaient se remuer, pendant que ceux d'Auguste, plus légers, les attaquaient de toutes parts.

Les vaisseaux anciens étant à rames, les plus légers brisaient aisément celles des plus grands, qui, pour lors, n'étaient plus que des machines immobiles, comme sont aujourd'hui nos vaisseaux démâtés.

Depuis l'invention de la boussole, on a changé de manière ; on a abandonné les rames [2], on a fui les côtes, on a construit de gros vaisseaux ; la machine est devenue plus composée, et les pratiques se sont multipliées.

L'invention de la poudre a fait une chose qu'on n'aurait pas soupçonnée ; c'est que la force des armées navales a plus que jamais consisté dans l'art : car, pour résister à la violence du canon et ne pas essuyer un feu supérieur, il a fallu de gros navires ; mais, à la grandeur de la machine, on a dû proportionner la puissance de l'art.

Les petits vaisseaux d'autrefois s'accrochaient soudain, et les soldats combattaient des deux parts ; on mettait sur une flotte toute une armée de terre : dans la bataille navale que Regulus et son collègue gagnèrent, on vit combattre cent trente mille Romains contre cent cinquante mille Carthaginois. Pour lors, les soldats étaient pour beaucoup, et les gens de l'art, pour peu ; à présent, les soldats sont pour rien ou pour peu, et les gens de l'art, pour beaucoup.

La victoire du consul Duillius fait bien sentir cette différence ; les Romains n'avaient aucune connaissance de la navigation ; une galère carthaginoise échoua sur leurs côtes ; ils se servirent de ce modèle pour en bâtir ; en trois mois de temps, leurs matelots furent dressés, leur flotte fut construite, équipée ; elle mit à

---

1. La même chose arriva à la bataille de Salamine. (Plut., *Vie de Thémistocle*.) L'histoire est pleine de faits pareils.
2. En quoi on peut juger de l'imperfection de la marine des Anciens, puisque nous avons abandonné une pratique dans laquelle nous avions tant de supériorité sur eux.

la mer; elle trouva l'armée navale des Carthaginois et la battit.

A peine, à présent, toute une vie suffit-elle à un prince pour former une flotte capable de paraître devant une puissance qui a déjà l'empire de la mer ; c'est peut-être la seule chose que l'argent seul ne peut pas faire. Et si, de nos jours, un grand prince [1] réussit d'abord, l'expérience a fait voir à d'autres [2] que c'est un exemple qui peut être plus admiré que suivi.

La seconde guerre punique est si fameuse que tout le monde la sait. Quand on examine bien cette foule d'obstacles qui se présentèrent devant Annibal, et que cet homme extraordinaire surmonta tous, on a le plus beau spectacle que nous ait fourni l'Antiquité.

Rome fut un prodige de constance. Après les journées du Tésin, de Trébie et de Trasimène, après celle de Cannes, plus funeste encore, abandonnée de presque tous les peuples d'Italie, elle ne demanda point la paix. C'est que le Sénat ne se départait jamais des maximes anciennes ; il agissait avec Annibal comme il avait agi autrefois avec Pyrrhus, à qui il avait refusé de faire aucun accommodement tandis qu'il serait en Italie. Et je trouve dans Denys d'Halicarnasse que, lors de la négociation de Coriolan, le Sénat déclara qu'il ne violerait point ses coutumes anciennes [3] ; que le Peuple romain ne pouvait faire de paix tandis que les ennemis étaient sur ses terres ; mais que, si les Volsques se retiraient, on accorderait tout ce qui serait juste.

Rome fut sauvée par la force de son institution : après la bataille de Cannes, il ne fut pas permis aux femmes mêmes de verser des larmes; le Sénat refusa de racheter les prisonniers et envoya les misérables restes de l'armée faire la guerre en Sicile, sans récompense ni aucun honneur militaire, jusqu'à ce qu'Annibal fût chassé d'Italie.

D'un autre côté, le consul Terentius Varron avait fui honteusement jusqu'à Venouse. Cet homme de la

---

1. Louis XIV.
2. L'Espagne et la Moscovie.
3. *Antiq. Rom.*, liv. VIII.

plus basse naissance n'avait été élevé au consulat
que pour mortifier la Noblesse. Mais le Sénat ne voulut
pas jouir de ce malheureux triomphe ; il vit combien
il était nécessaire qu'il s'attirât dans cette occasion
la confiance du Peuple : il alla au-devant de Varron et
le remercia de ce qu'il n'avait pas désespéré de la
République.

Ce n'est pas ordinairement la perte réelle que l'on
fait dans une bataille (c'est-à-dire celle de quelques
milliers d'hommes) qui est funeste à un Etat, mais la
perte imaginaire et le découragement, qui le prive
des forces mêmes que la Fortune lui avait laissées.

Il y a des choses que tout le monde dit parce qu'elles
ont été dites une fois. On croirait qu'Annibal fit une
faute insigne de n'avoir point été assiéger Rome
après la bataille de Cannes. Il est vrai que d'abord la
frayeur y fut extrême ; mais il n'en est pas de la consternation d'un peuple belliqueux, qui se tourne presque
toujours en courage, comme de celle d'une vile populace, qui ne sent que sa faiblesse. Une preuve qu'Annibal n'aurait pas réussi, c'est que les Romains se trouvèrent encore en état d'envoyer partout du secours.

On dit encore qu'Annibal fit une grande faute de
mener son armée à Capoue, où elle s'amollit. Mais
l'on ne considère point que l'on ne remonte pas à la
vraie cause. Les soldats de cette armée, devenus riches
après tant de victoires, n'auraient-ils pas trouvé partout Capoue ? Alexandre, qui commandait à ses
propres sujets, prit, dans une occasion pareille, un
expédient qu'Annibal, qui n'avait que des troupes
mercenaires, ne pouvait pas prendre ; il fit mettre le
feu au bagage de ses soldats et brûla toutes leurs
richesses et les siennes. On nous dit que Kouli-Kan,
après la conquête des Indes, ne laissa à chaque soldat
que cent roupies d'argent [1].

Ce furent les conquêtes mêmes d'Annibal qui commencèrent à changer la fortune de cette guerre. Il
n'avait pas été envoyé en Italie par les magistrats de
Carthage ; il recevait très peu de secours, soit par la

---

1. *Hist. de sa Vie*, Paris, 1742, p. 402.

jalousie d'un parti, soit par la trop grande confiance de l'autre. Pendant qu'il resta avec son armée ensemble, il battit les Romains; mais, lorsqu'il fallut qu'il mît des garnisons dans les villes, qu'il défendît ses alliés, qu'il assiégeât les places, ou qu'il les empêchât d'être assiégées, ses forces se trouvèrent trop petites, et il perdit en détail une grande partie de son armée. Les conquêtes sont aisées à faire, parce qu'on les fait avec toutes ses forces; elles sont difficiles à conserver, parce qu'on ne les défend qu'avec une partie de ses forces.

CHAPITRE V

DE L'ÉTAT DE LA GRÈCE, DE LA MACÉDOINE,
DE LA SYRIE ET DE L'ÉGYPTE,
APRÈS L'ABAISSEMENT DES CARTHAGINOIS

Je m'imagine qu'Annibal disait très peu de bons mots, et qu'il en disait encore moins en faveur de Fabius et de Marcellus contre lui-même. J'ai du regret de voir Tite-Live jeter ses fleurs sur ces énormes colosses de l'Antiquité; je voudrais qu'il eût fait comme Homère, qui néglige de les parer et sait si bien les faire mouvoir.

Encore faudrait-il que les discours qu'on fait tenir à Annibal fussent sensés. Que si, en apprenant la défaite de son frère, il avoua qu'il en prévoyait la ruine de Carthage, je ne sache rien de plus propre à désespérer des peuples qui s'étaient donnés à lui, et à décourager une armée qui attendait de si grandes récompenses après la guerre.

Comme les Carthaginois, en Espagne, en Sicile, en Sardaigne, n'opposaient aucune armée qui ne fût malheureuse, Annibal, dont les ennemis se fortifiaient sans cesse, fut réduit à une guerre défensive. Cela donna aux Romains la pensée de porter la guerre en Afrique ; Scipion y descendit ; les succès qu'il y eut obligèrent les Carthaginois à rappeler d'Italie Annibal, qui pleura de douleur en cédant aux Romains cette terre où il les avait tant de fois vaincus.

Tout ce que peut faire un grand homme d'Etat et un grand capitaine, Annibal le fit pour sauver sa patrie. N'ayant pu porter Scipion à la paix, il donna une bataille où la Fortune sembla prendre plaisir à confondre son habileté, son expérience et son bon sens.

Carthage reçut la paix, non pas d'un ennemi, mais d'un maître : elle s'obligea de payer dix mille talents en cinquante années, à donner des otages, à livrer ses vaisseaux et ses éléphants, à ne faire la guerre à personne sans le consentement du peuple romain; et, pour la tenir toujours humiliée, on augmenta la puissance de Massinisse, son ennemi éternel.

Après l'abaissement des Carthaginois, Rome n'eut presque plus que de petites guerres et de grandes victoires, au lieu qu'auparavant elle avait eu de petites victoires et de grandes guerres.

Il y avait dans ces temps-là comme deux mondes séparés : dans l'un combattaient les Carthaginois et les Romains; l'autre était agité par des querelles qui duraient depuis la mort d'Alexandre; on n'y pensait point à ce qui se passait en Occident [1] ; car, quoique Philippe, roi de Macédoine, eût fait un traité avec Annibal, il n'eut presque point de suite, et ce prince, qui n'accorda aux Carthaginois que de très faibles secours, ne fit que témoigner aux Romains une mauvaise volonté inutile.

Lorsqu'on voit deux grands peuples se faire une guerre longue et opiniâtre, c'est souvent une mauvaise politique de penser qu'on peut demeurer spectateur tranquille : car celui des deux peuples qui est le vainqueur entreprend d'abord de nouvelles guerres, et une nation de soldats va combattre contre des peuples qui ne sont que citoyens.

Ceci parut bien clairement dans ces temps-là : car les Romains eurent à peine dompté les Carthaginois qu'ils attaquèrent de nouveaux peuples et parurent dans toute la Terre pour tout envahir.

Il n'y avait pour lors dans l'Orient que quatre puissances capables de résister aux Romains : la Grèce et les royaumes de Macédoine, de Syrie et d'Egypte. Il faut voir quelle était la situation de ces deux premières

---

1. Il est surprenant, comme Josèphe le remarque dans le livre contre Appion, qu'Hérodote ni Thucydide n'aient jamais parlé des Romains, quoiqu'ils eussent fait de si grandes guerres.

puissances, parce que les Romains commencèrent par les soumettre.

Il y avait dans la Grèce trois peuples considérables : les Etoliens, les Achaïens et les Béotiens ; c'étaient des associations de villes libres, qui avaient des assemblées générales et des magistrats communs. Les Etoliens étaient belliqueux, hardis, téméraires, avides du gain, toujours libres de leur parole et de leurs serments, enfin, faisant la guerre sur la terre comme les pirates la font sur la mer. Les Achaïens étaient sans cesse fatigués par des voisins ou des défenseurs incommodes. Les Béotiens, les plus épais de tous les Grecs, prenaient le moins de part qu'ils pouvaient aux affaires générales : uniquement conduits par le sentiment présent du bien et du mal, ils n'avaient pas assez d'esprit pour qu'il fût facile aux orateurs de les agiter ; et, ce qu'il y avait d'extraordinaire, leur république se maintenait dans l'anarchie même [1].

Lacédémone avait conservé sa puissance, c'est-à-dire cet esprit belliqueux que lui donnaient les institutions de Lycurgue. Les Thessaliens étaient en quelque façon asservis par les Macédoniens. Les rois d'Illyrie avaient déjà été extrêmement abattus par les Romains. Les Acarnaniens et les Athamanes étaient ravagés tour à tour par les forces de la Macédoine et de l'Etolie. Les Athéniens, sans forces par eux-mêmes et sans alliés [2], n'étonnaient plus le Monde que par leurs flatteries envers les rois, et l'on ne montait plus sur la tribune où avait parlé Démosthène, que pour proposer les décrets les plus lâches et les plus scandaleux.

D'ailleurs, la Grèce était redoutable par sa situation, la force, la multitude de ses villes, le nombre de ses soldats, sa police, ses mœurs, ses lois : elle aimait la guerre, elle en connaissait l'art, et elle aurait été invincible si elle avait été unie.

---

1. Les magistrats, pour plaire à la multitude, n'ouvraient plus les tribunaux ; les mourants léguaient à leurs amis leur bien pour être employé en festin. Voyez un fragm. du XXe liv. de Polybe, dans l'*Extrait des Vertus et des Vices*.
2. Ils n'avaient aucune alliance avec les autres peuples de la Grèce. (Polybe, liv. VIII.)

Elle avait bien été étonnée par le premier Philippe, Alexandre et Antipater, mais non pas subjuguée, et les rois de Macédoine, qui ne pouvaient se résoudre à abandonner leurs prétentions et leurs espérances, s'obstinaient à travailler à l'asservir.

La Macédoine était presque entourée de montagnes inaccessibles; les peuples en étaient très propres à la guerre, courageux, obéissants, industrieux, infatigables, et il fallait bien qu'ils tinssent ces qualités-là du climat, puisque encore aujourd'hui les hommes de ces contrées sont les meilleurs soldats de l'empire des Turcs.

La Grèce se maintenait par une espèce de balance : les Lacédémoniens étaient, pour l'ordinaire, alliés des Etoliens, et les Macédoniens l'étaient des Achaïens; mais, par l'arrivée des Romains, tout équilibre fut rompu.

Comme les rois de Macédoine ne pouvaient pas entretenir un grand nombre de troupes [1], le moindre échec était de conséquence; d'ailleurs, ils pouvaient difficilement s'agrandir, parce que, leurs desseins n'étant pas inconnus, on avait toujours les yeux ouverts sur leurs démarches, et les succès qu'ils avaient dans les guerres entreprises pour leurs alliés étaient un mal que ces mêmes alliés cherchaient d'abord à réparer.

Mais les rois de Macédoine étaient ordinairement des princes habiles. Leur monarchie n'était pas du nombre de celles qui vont par une espèce d'allure donnée dans le commencement : continuellement instruits par les périls et par les affaires, embarrassés dans tous les démêlés des Grecs, il leur fallait gagner les principaux des villes, éblouir les peuples, et diviser ou réunir les intérêts; enfin, ils étaient obligés de payer de leur personne à chaque instant.

Philippe, qui, dans le commencement de son règne, s'était attiré l'amour et la confiance des Grecs par sa modération, changea tout à coup : il devint un cruel tyran dans un temps où il aurait dû être juste par politique et par ambition [2]. Il voyait, quoique de loin, les

<hr>

1. Voyez Plutarque, *Vie de Flaminius*.
2. Voyez dans Polybe les injustices et les cruautés par lesquelles Philippe se décrédita.

Carthaginois et les Romains, dont les forces étaient
immenses; il avait fini la guerre à l'avantage de ses
alliés et s'était réconcilié avec les Etoliens. Il était
naturel qu'il pensât à unir toute la Grèce avec lui
pour empêcher les étrangers de s'y établir; mais il
l'irrita, au contraire, par de petites usurpations, et,
s'amusant à discuter de vains intérêts, quand il s'agissait de son existence, par trois ou quatre mauvaises
actions, il se rendit odieux et détestable à tous les
Grecs.

Les Etoliens furent les plus irrités, et les Romains,
saisissant l'occasion de leur ressentiment, ou plutôt
de leur folie, firent alliance avec eux, entrèrent dans
la Grèce, et l'armèrent contre Philippe.

Ce prince fut vaincu à la journée des Cynocéphales,
et cette victoire fut due en partie à la valeur des Etoliens. Il fut si fort consterné qu'il se réduisit à un traité
qui était moins une paix qu'un abandon de ses propres
forces : il fit sortir ses garnisons de toute la Grèce,
livra ses vaisseaux, et s'obligea de payer mille talents
en dix années.

Polybe, avec son bon sens ordinaire, compare
l'ordonnance des Romains avec celle des Macédoniens,
qui fut prise par tous les rois successeurs d'Alexandre :
il fait voir les avantages et les inconvénients de la
phalange et de la légion; il donne la préférence à
l'ordonnance romaine, et il y a apparence qu'il a
raison, si l'on en juge par tous les événements de ces
temps-là.

Ce qui avait beaucoup contribué à mettre les
Romains en péril dans la seconde guerre punique,
c'est qu'Annibal arma d'abord ses soldats à la romaine.
Mais les Grecs ne changèrent ni leurs armes ni leur
manière de combattre ; il ne leur vint point dans l'esprit de renoncer à des usages avec lesquels ils avaient
fait de si grandes choses.

Le succès que les Romains eurent contre Philippe
fut le plus grand de tous les pas qu'ils firent pour la
conquête générale. Pour s'assurer de la Grèce, ils
abaissèrent par toutes sortes de voies les Etoliens, qui
les avaient aidés à vaincre; de plus, ils ordonnèrent

que chaque ville grecque qui avait été à Philippe ou à quelque autre prince se gouvernerait dorénavant par ses propres lois.

On voit bien que ces petites républiques ne pouvaient être que dépendantes. Les Grecs se livrèrent à une joie stupide et crurent être libres en effet, parce que les Romains les déclaraient tels.

Les Etoliens, qui s'étaient imaginé qu'ils domineraient dans la Grèce, voyant qu'ils n'avaient fait que se donner des maîtres, furent au désespoir, et, comme ils prenaient toujours des résolutions extrêmes, voulant corriger leurs folies par leurs folies, ils appelèrent dans la Grèce Antiochus, roi de Syrie, comme ils y avaient appelé les Romains.

Les rois de Syrie étaient les plus puissants des successeurs d'Alexandre : car ils possédaient presque tous les Etats de Darius, à l'Egypte près ; mais il était arrivé des choses qui avaient fait que leur puissance s'était beaucoup affaiblie.

Séleucus, qui avait fondé l'empire de Syrie, avait à la fin de sa vie détruit le royaume de Lysimaque. Dans la confusion des choses, plusieurs provinces se soulevèrent : les royaumes de Pergame, de Cappadoce et de Bithynie se formèrent. Mais ces petits Etats timides regardèrent toujours l'humiliation de leurs anciens maîtres comme une fortune pour eux.

Comme les rois de Syrie virent toujours avec une envie extrême la félicité du royaume d'Egypte, ils ne songèrent qu'à le conquérir ; ce qui fit que, négligeant l'Orient, ils y perdirent plusieurs provinces et furent fort mal obéis dans les autres.

Enfin, les rois de Syrie tenaient la haute et la basse Asie. Mais l'expérience a fait voir que, dans ce cas, lorsque la capitale et les principales forces sont dans les provinces basses de l'Asie, on ne peut pas conserver les hautes, et que, quand le siège de l'empire est dans les hautes, on s'affaiblit en voulant garder les basses. L'empire des Perses et celui de Syrie ne furent jamais si forts que celui des Parthes, qui n'avait qu'une partie des provinces des deux premiers. Si Cyrus n'avait pas conquis le royaume de Lydie, si Séleucus était resté

à Babylone et avait laissé les provinces maritimes
aux successeurs d'Antigone, l'empire des Perses
aurait été invincible pour les Grecs, et celui de Séleucus, pour les Romains. Il y a de certaines bornes que
la Nature a données aux États pour mortifier l'ambition des hommes ; lorsque les Romains les passèrent, les
Parthes les firent presque toujours périr [1] ; quand les
Parthes osèrent les passer, ils furent d'abord obligés
de revenir ; et, de nos jours, les Turcs, qui ont avancé
au-delà de ces limites, ont été contraints d'y rentrer.

Les rois de Syrie et d'Egypte avaient dans leur pays
deux sortes de sujets : les peuples conquérants et les
peuples conquis. Ces premiers, encore pleins de l'idée
de leur origine, étaient très difficilement gouvernés :
ils n'avaient point cet esprit d'indépendance qui nous
porte à secouer le joug, mais cette impatience qui nous
fait désirer de changer de maître.

Mais la faiblesse principale du royaume de Syrie
venait de celle de la Cour, où régnaient des successeurs
de Darius, et non pas d'Alexandre. Le luxe, la vanité
et la mollesse, qui, en aucun siècle, n'ont quitté les cours
d'Asie, régnaient surtout dans celle-ci. Le mal passa
au peuple et aux soldats et devint contagieux pour les
Romains mêmes, puisque la guerre qu'ils firent contre
Antiochus est la vraie époque de leur corruption.

Telle était la situation du royaume de Syrie lorsqu'Antiochus, qui avait fait de grandes choses, entreprit la guerre contre les Romains. Mais il ne se conduisit pas même avec la sagesse que l'on emploie dans
les affaires ordinaires. Annibal voulait qu'on renou-
velât la guerre en Italie, et qu'on gagnât Philippe,
ou qu'on le rendît neutre. Antiochus ne fit rien de cela.
Il se montra dans la Grèce avec une petite partie de
ses forces, et, comme s'il avait voulu y voir la guerre,
et non pas la faire, il ne fut occupé que de ses plaisirs.
Il fut battu, s'enfuit en Asie, plus effrayé que vaincu.

Philippe, dans cette guerre, entraîné par les Romains
comme par un torrent, les servit de tout son pouvoir

----

1. J'en dirai les raisons au chap. xv. Elles sont tirées en partie
de la disposition géographique des deux empires.

et devint l'instrument de leurs victoires. Le plaisir
de se venger et de ravager l'Etolie, la promesse qu'on
lui diminuerait le tribut, et qu'on lui laisserait quelques
villes, des jalousies qu'il eut d'Antiochus, enfin, de
petits motifs le déterminèrent, et, n'osant concevoir la
pensée de secouer le joug, il ne songea qu'à l'adoucir.

Antiochus jugea si mal des affaires qu'il s'imagina
que les Romains le laisseraient tranquille en Asie.
Mais ils l'y suivirent. Il fut vaincu encore, et, dans sa
consternation, il consentit au traité le plus infâme
qu'un grand prince ait jamais fait.

Je ne sache rien de si magnanime que la résolution
que prit un monarque qui a régné de nos jours [1] de
s'ensevelir plutôt sous les débris du trône que d'accepter des propositions qu'un roi ne doit pas entendre;
il avait l'âme trop fière pour descendre plus bas que
ses malheurs ne l'avaient mis, et il savait bien que le
courage peut raffermir une couronne, et que l'infamie
ne le fait jamais.

C'est une chose commune de voir des princes qui
savent donner une bataille; il y en a bien peu qui
sachent faire une guerre, qui soient également capables
de se servir de la Fortune et de l'attendre, et qui, avec
cette disposition d'esprit qui donne de la méfiance
avant que d'entreprendre, aient celle de ne craindre
plus rien après avoir entrepris.

Après l'abaissement d'Antiochus, il ne restait plus
que de petites puissances, si l'on en excepte l'Egypte,
qui, par sa situation, sa fécondité, son commerce, le
nombre de ses habitants, ses forces de mer et de terre,
aurait pu être formidable. Mais la cruauté de ses rois,
leur lâcheté, leur avarice, leur imbécillité, leurs affreuses
voluptés, les rendirent si odieux à leurs sujets qu'ils
ne se soutinrent la plupart du temps que par la protection des Romains.

C'était, en quelque façon, une loi fondamentale de
la couronne d'Egypte que les sœurs succédaient avec
les frères, et, afin de maintenir l'unité dans le gouvernement, on mariait le frère avec la sœur. Or il est diffi-

1. Louis XIV.

cile de rien imaginer de plus pernicieux dans la politique qu'un pareil ordre de succession : car, tous les
petits démêlés domestiques devenant des désordres
dans l'Etat ; celui des deux qui avait le moindre cha-
grin soulevait d'abord contre l'autre le peuple d'Alexandrie, populace immense, toujours prête à se joindre
au premier de ses rois qui voulait l'agiter. De plus, les
royaumes de Cyrène et de Chypre étant ordinairement
entre les mains d'autres princes de cette maison, avec
des droits réciproques sur le tout, il arrivait qu'il y
avait presque toujours des princes régnants et des
prétendants à la couronne, que ces rois étaient sur un
trône chancelant, et que, mal établis au-dedans, ils
étaient sans pouvoir au-dehors.

Les forces des rois d'Egypte, comme celles des autres
rois d'Asie, consistaient dans leurs auxiliaires grecs.
Outre l'esprit de liberté, d'honneur et de gloire qui
animait les Grecs, ils s'occupaient sans cesse à toutes
sortes d'exercices du corps : ils avaient dans leurs
principales villes des jeux établis, où les vainqueurs
obtenaient des couronnes aux yeux de toute la Grèce ;
ce qui donnait une émulation générale. Or, dans un
temps où l'on combattait avec des armes dont le succès
dépendait de la force et de l'adresse de celui qui s'en
servait, on ne peut douter que des gens ainsi exercés
n'eussent de grands avantages sur cette foule de Barbares
pris indifféremment et menés sans choix à la guerre,
comme les armées de Darius le firent bien voir.

Les Romains, pour priver les rois d'une telle milice
et leur ôter sans bruit leurs principales forces, firent
deux choses : premièrement, ils établirent peu à peu
comme une maxime, chez les villes grecques, qu'elles ne
pourraient avoir aucune alliance, accorder du secours
ou faire la guerre à qui que ce fût, sans leur consentement ; de plus, dans leurs traités avec les rois, ils leur
défendirent de faire aucunes levées chez les alliés des
Romains [1] ; ce qui les réduisit à leurs troupes nationales.

---

1. Ils avaient déjà eu cette politique avec les Carthaginois,
qu'ils obligèrent par le traité à ne plus se servir de troupes
auxiliaires, comme on le voit dans un fragment de Dion.

CHAPITRE VI

DE LA CONDUITE QUE LES ROMAINS TINRENT
POUR SOUMETTRE TOUS LES PEUPLES

Dans le cours de tant de prospérités, où l'on se néglige pour l'ordinaire, le Sénat agissait toujours avec la même profondeur, et, pendant que les armées consternaient tout, il tenait à terre ceux qu'il trouvait abattus.

Il s'érigea en tribunal qui jugea tous les peuples : à la fin de chaque guerre, il décidait des peines et des récompenses que chacun avait méritées; il ôtait une partie du domaine du peuple vaincu pour la donner aux alliés; en quoi il faisait deux choses : il attachait à Rome des rois dont elle avait peu à craindre et beaucoup à espérer, et il en affaiblissait d'autres dont elle n'avait rien à espérer et tout à craindre.

On se servait des alliés pour faire la guerre à un ennemi; mais d'abord on détruisit les destructeurs. Philippe fut vaincu par le moyen des Etoliens, qui furent anéantis d'abord après, pour s'être joints à Antiochus. Antiochus fut vaincu par le secours des Rhodiens; mais, après qu'on leur eut donné des récompenses éclatantes, on les humilia pour jamais, sous prétexte qu'ils avaient demandé qu'on fît la paix avec Persée.

Quand ils avaient plusieurs ennemis sur les bras, ils accordaient une trêve au plus faible, qui se croyait heureux de l'obtenir, comptant pour beaucoup d'avoir différé sa ruine.

Lorsque l'on était occupé à une grande guerre, le Sénat dissimulait toutes sortes d'injures et attendait dans le silence que le temps de la punition fût venu. Que si quelque peuple lui envoyait les coupables, il refusait de les punir, aimant mieux tenir toute la nation pour criminelle et se réserver une vengeance utile.

Comme ils faisaient à leurs ennemis des maux inconcevables, il ne se formait guère de ligues contre eux : car celui qui était le plus éloigné du péril ne voulait pas en approcher.

Par là, ils recevaient rarement la guerre, mais la faisaient toujours dans le temps, de la manière et avec ceux qu'il leur convenait, et, de tant de peuples qu'ils attaquèrent, il y en a bien peu qui n'eussent souffert toutes sortes d'injures si l'on avait voulu les laisser en paix.

Leur coutume étant de parler toujours en maîtres, les ambassadeurs qu'ils envoyaient chez les peuples qui n'avaient point encore senti leur puissance étaient sûrement maltraités; ce qui était un prétexte sûr pour faire une nouvelle guerre [1].

Comme ils ne faisaient jamais la paix de bonne foi, et que, dans le dessein d'envahir tout, leurs traités n'étaient proprement que des suspensions de guerre, ils y mettaient des conditions qui commençaient toujours la ruine de l'Etat qui les acceptait : ils faisaient sortir les garnisons des places fortes, ou bornaient le nombre des troupes de terre, ou se faisaient livrer les chevaux ou les éléphants, et, si ce peuple était puissant sur la mer, ils l'obligeaient de brûler ses vaisseaux et quelquefois d'aller habiter plus avant dans les terres.

Après avoir détruit les armées d'un prince, ils ruinaient ses finances par des taxes excessives ou un tribut, sous prétexte de lui faire payer les frais de la guerre : nouveau genre de tyrannie, qui le forçait d'opprimer ses sujets et de perdre leur amour.

Lorsqu'ils accordaient la paix à quelque prince, ils prenaient quelqu'un de ses frères ou de ses enfants en otage; ce qui leur donnait le moyen de troubler son royaume à leur fantaisie. Quand ils avaient le plus

---

1. Un des exemples de cela, c'est leur guerre contre les Dalmates. Voyez Polybe.

proche héritier, ils intimidaient le possesseur; s'ils n'avaient qu'un prince d'un degré éloigné, ils s'en servaient pour animer les révoltes des peuples.

Quand quelque prince ou quelque peuple s'était soustrait de l'obéissance de son souverain, ils lui accordaient d'abord le titre d'*allié du peuple romain* [1], et, par là, ils le rendaient sacré et inviolable; de manière qu'il n'y avait point de roi, quelque grand qu'il fût, qui pût un moment être sûr de ses sujets, ni même de sa famille.

Quoique le titre de leur *allié* fût une espèce de servitude, il était néanmoins très recherché [2] : car on était sûr que l'on ne recevait d'injures que d'eux, et l'on avait sujet d'espérer qu'elles seraient moindres; ainsi il n'y avait point de services que les peuples et les rois ne fussent prêts de rendre, ni de bassesses qu'ils ne fissent pour l'obtenir.

Ils avaient plusieurs sortes d'alliés. Les uns leur étaient unis par des privilèges et une participation de leur grandeur, comme les Latins et les Herniques; d'autres, par l'établissement même, comme leurs colonies; quelques-uns, par les bienfaits, comme furent Massinisse, Euménès et Attalus, qui tenaient d'eux leur royaume ou leur agrandissement; d'autres, par des traités libres, et ceux-là devenaient sujets par un long usage de l'alliance, comme les rois d'Egypte, de Bithynie, de Cappadoce, et la plupart des villes grecques; plusieurs, enfin, par des traités forcés et par la loi de leur sujétion, comme Philippe et Antiochus : car ils n'accordaient point de paix à un ennemi qui ne contînt une alliance, c'est-à-dire qu'ils ne soumettaient point de peuple qui ne leur servît à en abaisser d'autres.

Lorsqu'ils laissaient la liberté à quelques villes, ils y faisaient d'abord naître deux factions [3] : l'une défendait les lois et la liberté du pays, l'autre soutenait qu'il

1. Voyez surtout leur traité avec les Juifs, au 1er liv. des *Macchabées*, chap. VIII.
2. Ariarathe fit un sacrifice aux Dieux, dit Polybe, pour les remercier de ce qu'il avait obtenu cette alliance.
3. Voyez Polybe sur les villes de Grèce.

n'y avait de loi que la volonté des Romains; et, comme cette dernière faction était toujours la plus puissante, on voit bien qu'une pareille liberté n'était qu'un nom.

Quelquefois ils se rendaient maîtres d'un pays sous prétexte de succession : ils entrèrent en Asie, en Bithynie, en Libye, par les testaments d'Attalus, de Nicomède [1] et d'Appion, et l'Egypte fut enchaînée par celui du roi de Cyrène.

Pour tenir les grands princes toujours faibles, ils ne voulaient pas qu'ils reçussent dans leur alliance ceux à qui ils avaient accordé la leur [2], et, comme ils ne la refusaient à aucun des voisins d'un prince puissant, cette condition, mise dans un traité de paix, ne lui laissait plus d'alliés.

De plus, lorsqu'ils avaient vaincu quelque prince considérable, ils mettaient dans le traité qu'il ne pourrait faire la guerre pour ses différends avec les alliés des Romains (c'est-à-dire, ordinairement, avec tous ses voisins), mais qu'il les mettrait en arbitrage; ce qui lui ôtait pour l'avenir la puissance militaire.

Et, pour se la réserver toute, ils en privaient leurs alliés mêmes : dès que ceux-ci avaient le moindre démêlé, ils envoyaient des ambassadeurs qui les obligeaient de faire la paix. Il n'y a qu'à voir comme ils terminèrent les guerres d'Attalus et de Prusias.

Quand quelque prince avait fait une conquête, qui souvent l'avait épuisé, un ambassadeur romain survenait d'abord, qui la lui arrachait des mains. Entre mille exemples, on peut se rappeler comment, avec une parole, ils chassèrent d'Egypte Antiochus.

Sachant combien les peuples d'Europe étaient propres à la guerre, ils établirent comme une loi qu'il ne serait permis à aucun roi d'Asie d'entrer en Europe et d'y assujettir quelque peuple que ce fût [3]. Le principal motif de la guerre qu'ils firent à Mithridate fut

1. Fils de Philopator.
2. Ce fut le cas d'Antiochus.
3. La défense faite à Antiochus, même avant la guerre, de passer en Europe, devint générale contre les autres rois.

que, contre cette défense, il avait soumis quelques Barbares [1].

Lorsqu'ils voyaient que deux peuples étaient en guerre, quoiqu'ils n'eussent aucune alliance, ni rien à démêler avec l'un ni avec l'autre, ils ne laissaient pas de paraître sur la scène, et, comme nos chevaliers errants, ils prenaient le parti du plus faible. C'était, dit Denys d'Halicarnasse, une ancienne coutume des Romains d'accorder toujours leur secours à quiconque venait l'implorer [2].

Ces coutumes des Romains n'étaient point quelques faits particuliers arrivés par hasard; c'étaient des principes toujours constants, et cela se peut voir aisément : car les maximes dont ils firent usage contre les plus grandes puissances furent précisément celles qu'ils avaient employées dans les commencements contre les petites villes qui étaient autour d'eux.

Ils se servirent d'Eumènes et de Massinisse pour subjuguer Philippe et Antiochus, comme ils s'étaient servis des Latins et des Herniques pour subjuguer les Volsques et les Toscans; ils se firent livrer les flottes de Carthage et des rois d'Asie, comme ils s'étaient fait donner les barques d'Antium; ils ôtèrent les liaisons politiques et civiles entre les quatre parties de la Macédoine, comme ils avaient autrefois rompu l'union des petites villes latines [3].

Mais surtout leur maxime constante fut de diviser. La république d'Achaïe était formée par une association de villes libres; le Sénat déclara que chaque ville se gouvernerait dorénavant par ses propres lois, sans dépendre d'une autorité commune.

La république des Béotiens était pareillement une ligue de plusieurs villes. Mais, comme, dans la guerre contre Persée, les unes suivirent le parti de ce prince, les autres, celui des Romains, ceux-ci les reçurent en grâce moyennant la dissolution de l'alliance commune.

Si un grand prince qui a régné de nos jours avait

1. Appian, *De Bello Mithrid.*
2. Fragment de Denys, tiré de l'*Extrait des Ambassades.*
3. Tite-Live, liv. VII.

suivi ces maximes, lorsqu'il vit un de ses voisins détrôné, il aurait employé de plus grandes forces pour le soutenir et le borner dans l'île qui lui resta fidèle : en divisant la seule puissance qui pût s'opposer à ses desseins, il aurait tiré d'immenses avantages du malheur même de son allié.

Lorsqu'il y avait quelques disputes dans un Etat, ils jugeaient d'abord l'affaire, et, par là, ils étaient sûrs de n'avoir contre eux que la partie qu'ils avaient condamnée. Si c'était des princes du même sang qui se disputaient la couronne, ils les déclaraient quelquefois tous deux rois [1]; si l'un d'eux était en bas âge, ils décidaient en sa faveur, et ils en prenaient la tutelle, comme protecteurs de l'Univers [2]. Car ils avaient porté les choses au point que les peuples et les rois étaient leurs sujets sans savoir précisément par quel titre, étant établi que c'était assez d'avoir ouï parler d'eux pour devoir leur être soumis.

Ils ne faisaient jamais de guerres éloignées sans s'être procuré quelque allié auprès de l'ennemi qu'ils attaquaient, qui pût joindre ses troupes à l'armée qu'ils envoyaient, et, comme elle n'était jamais considérable par le nombre, ils observaient toujours d'en tenir une autre dans la province la plus voisine de l'ennemi [3] et une troisième dans Rome, toujours prête à marcher. Ainsi ils n'exposaient qu'une très petite partie de leurs forces, pendant que leur ennemi mettait au hasard toutes les siennes [4].

Quelquefois ils abusaient de la subtilité des termes de leur langue : ils détruisirent Carthage, disant qu'ils avaient promis de conserver la *Cité*, et non pas la *Ville*. On sait comment les Etoliens, qui s'étaient

1. Comme il arriva à Ariarathe et Holopherne en Cappadoce. (Appian, *in Syriac.*)
2. Pour pouvoir ruiner la Syrie en qualité de tuteurs, ils se déclarèrent pour le fils d'Antiochus encore enfant, contre Démétrius, qui était chez eux en otage, et qui les conjurait de lui rendre justice, disant que Rome était sa mère, et les Sénateurs, ses pères.
3. C'était une pratique constante, comme on peut voir par l'histoire.
4. Voyez comme ils se conduisirent dans la guerre de Macédoine.

abandonnés à leur foi, furent trompés : les Romains prétendirent que la signification de ces mots : *s'abandonner à la foi d'un ennemi*, emportait la perte de toutes sortes de choses : des personnes, des terres, des villes, des temples et des sépultures même.

Ils pouvaient même donner à un traité une interprétation arbitraire : ainsi, lorsqu'ils voulurent abaisser les Rhodiens, ils dirent qu'ils ne leur avaient pas donné autrefois la Lycie comme présent, mais comme amie et alliée.

Lorsqu'un de leurs généraux faisait la paix pour sauver son armée prête à périr, le Sénat, qui ne la ratifiait point, profitait de cette paix et continuait la guerre. Ainsi, quand Jugurtha eut enfermé une armée romaine, et qu'il l'eut laissée aller sous la foi d'un traité, on se servit contre lui des troupes mêmes qu'il avait sauvées; et, lorsque les Numantins eurent réduit vingt mille Romains prêts à mourir de faim à demander la paix, cette paix, qui avait sauvé tant de citoyens, fut rompue à Rome, et l'on éluda la foi publique en envoyant le consul qui l'avait signée [1].

Quelquefois ils traitaient de la paix avec un prince sous des conditions raisonnables, et, lorsqu'il les avait exécutées, ils en ajoutaient de telles, qu'il était forcé de recommencer la guerre. Ainsi, quand ils se furent fait livrer par Jugurtha ses éléphants, ses chevaux, ses trésors, ses transfuges, ils lui demandèrent de livrer sa personne [2] : chose qui, étant pour un prince le dernier des malheurs, ne peut jamais faire une condition de paix.

Enfin, ils jugèrent les rois pour leurs fautes et leurs crimes particuliers : ils écoutèrent les plaintes de tous ceux qui avaient quelques démêlés avec Philippe, ils envoyèrent des députés pour pourvoir à leur sûreté; et ils firent accuser Persée devant eux pour quelques

1. Ils en agirent de même avec les Samnites, les Lusitaniens et les peuples de Corse. Voyez, sur ces derniers, un fragment du liv. I de Dion.
2. Ils en agirent de même avec Viriate : après lui avoir fait rendre les transfuges, on lui demanda qu'il rendît les armes; à quoi ni lui ni les siens ne purent consentir. (Fragm. de Dion.)

meurtres et quelques querelles avec des citoyens des villes alliées.

Comme on jugeait de la gloire d'un général par la quantité de l'or et de l'argent qu'on portait à son triomphe, il ne laissait rien à l'ennemi vaincu. Rome s'enrichissait toujours, et chaque guerre la mettait en état d'en entreprendre une autre.

Les peuples qui étaient amis ou alliés se ruinaient tous par les présents immenses qu'ils faisaient pour conserver la faveur ou l'obtenir plus grande [1], et la moitié de l'argent qui fut envoyé pour ce sujet aux Romains aurait suffi pour les vaincre.

Maîtres de l'Univers, ils s'en attribuèrent tous les trésors : ravisseurs moins injustes en qualité de conquérants qu'en qualité de législateurs. Ayant su que Ptolomée, roi de Chypre, avait des richesses immenses, ils firent une loi, sur la proposition d'un tribun, par laquelle ils se donnèrent l'hérédité d'un homme vivant et la confiscation d'un prince allié [2].

Bientôt la cupidité des particuliers acheva d'enlever ce qui avait échappé à l'avarice publique. Les magistrats et les gouverneurs vendaient aux rois leurs injustices. Deux compétiteurs se ruinaient à l'envi pour acheter une protection toujours douteuse contre un rival qui n'était pas entièrement épuisé : car on n'avait pas même cette justice des brigands, qui portent une certaine probité dans l'exercice du crime. Enfin, les droits légitimes ou usurpés ne se soutenant que par de l'argent, les princes, pour en avoir, dépouillaient les temples, confisquaient les biens des plus riches citoyens. On faisait mille crimes pour donner aux Romains tout l'argent du Monde.

Mais rien ne servit mieux Rome que le respect qu'elle imprima à la Terre. Elle mit d'abord les rois dans le silence et les rendit comme stupides; il ne s'agissait pas du degré de leur puissance, mais leur personne propre était attaquée : risquer une guerre, c'était s'exposer à la

---

1. Les présents que le Sénat envoyait aux rois n'étaient que des bagatelles, comme une chaise et un bâton d'ivoire, ou quelque robe de magistrature.
2. Florus, liv. III, chap. IX.

captivité, à la mort, à l'infamie du triomphe. Ainsi des rois qui vivaient dans le faste et dans les délices n'osaient jeter des regards fixes sur le peuple romain, et, perdant le courage, ils attendaient de leur patience et de leurs bassesses quelque délai aux misères dont ils étaient menacés [1].

Remarquez, je vous prie, la conduite des Romains. Après la défaite d'Antiochus, ils étaient maîtres de l'Afrique, de l'Asie et de la Grèce, sans y avoir presque de ville en propre. Il semblait qu'ils ne conquissent que pour donner; mais ils restaient si bien les maîtres que, lorsqu'ils faisaient la guerre à quelque prince, ils l'accablaient, pour ainsi dire, du poids de tout l'Univers.

Il n'était pas temps encore de s'emparer des pays conquis. S'ils avaient gardé les villes prises à Philippe, ils auraient fait ouvrir les yeux aux Grecs; si, après la seconde guerre punique ou celle contre Antiochus, ils avaient pris des terres en Afrique ou en Asie, ils n'auraient pu conserver des conquêtes si peu solidement établies [2].

Il fallait attendre que toutes les nations fussent accoutumées à obéir comme libres et comme alliées, avant de leur commander comme sujettes, et qu'elles eussent été se perdre peu à peu dans la République romaine.

Voyez le traité qu'ils firent avec les Latins après la victoire du Lac Régille [3]; il fut un des principaux fondements de leur puissance. On n'y trouve pas un seul mot qui puisse faire soupçonner l'empire.

C'était une manière lente de conquérir : on vainquait un peuple, et on se contentait de l'affaiblir; on lui imposait des conditions qui le minaient insensi-

1. Ils cachaient, autant qu'ils pouvaient, leur puissance et leurs richesses aux Romains. Voyez là-dessus un frag. du liv. I de Dion.
2. Ils n'osèrent y exposer leurs colonies; ils aimèrent mieux mettre une jalousie éternelle entre les Carthaginois et Massinisse et se servir du secours des uns et des autres pour soumettre la Macédoine et la Grèce.
3. Denys d'Halicarnasse le rapporte, liv. VI, chap. xcv (édit. d'Oxf.).

blement; s'il se relevait, on l'abaissait encore davantage, et il devenait sujet, sans qu'on pût donner une
époque de sa sujétion.

Ainsi Rome n'était pas proprement une monarchie
ou une république, mais la tête du corps formé par
tous les peuples du Monde.

Si les Espagnols, après la conquête du Mexique et
du Pérou, avaient suivi ce plan, ils n'auraient pas été
obligés de tout détruire pour tout conserver.

C'est la folie des conquérants de vouloir donner à
tous les peuples leurs lois et leurs coutumes; cela n'est
bon à rien : car, dans toute sorte de gouvernement, on
est capable d'obéir.

Mais, Rome n'imposant aucunes lois générales, les
peuples n'avaient point entre eux de liaisons dangereuses; ils ne faisaient un corps que par une obéissance
commune, et, sans être compatriotes, ils étaient tous
romains.

On objectera peut-être que les empires fondés sur les
lois des fiefs n'ont jamais été durables, ni puissants.
Mais il n'y a rien au Monde de si contradictoire que
le plan des Romains et celui des Barbares; et, pour
n'en dire qu'un mot : le premier était l'ouvrage de la
force; l'autre, de la faiblesse; dans l'un, la sujétion
était extrême; dans l'autre, l'indépendance. Dans les
pays conquis par les nations germaniques, le pouvoir
était dans la main des vassaux; le droit seulement, dans
la main du Prince. C'était tout le contraire chez les
Romains.

CHAPITRE VII

COMMENT MITHRIDATE PUT LEUR RÉSISTER

De tous les rois que les Romains attaquèrent, Mithridate seul se défendit avec courage et les mit en péril.

La situation de ses Etats était admirable pour leur faire la guerre. Ils touchaient au pays inaccessible du Caucase, rempli de nations féroces dont on pouvait se servir. De là, ils s'étendaient sur la mer du Pont. Mithridate la couvrait de ses vaisseaux et allait continuellement acheter de nouvelles armées de Scythes. L'Asie était ouverte à ses invasions. Il était riche, parce que ses villes sur le Pont-Euxin faisaient un commerce avantageux avec des nations moins industrieuses qu'elles.

Les proscriptions, dont la coutume commença dans ces temps-là, obligèrent plusieurs Romains de quitter leur patrie. Mithridate les reçut à bras ouverts : il forma des légions où il les fit entrer, qui furent ses meilleures troupes [1].

D'un autre côté, Rome, travaillée par ses dissensions civiles, occupée de maux plus pressants, négligea les affaires d'Asie et laissa Mithridate suivre ses victoires ou respirer après ses défaites.

Rien n'avait plus perdu la plupart des rois que le désir manifeste qu'ils témoignaient de la paix : ils

---

1. Frontin (*Stratagem.*, liv. II) dit qu'Archélaüs, lieutenant de Mithridate, combattant contre Sylla, mit au premier rang ses chariots à faux ; au second, sa phalange ; au troisième, les auxiliaires armés à la romaine, *mixtis fugitivis Italiæ, quorum pervicaciæ multum fidebat*. Mithridate fit même une alliance avec Sertorius. Voyez aussi Plutarque, *Vie de Lucullus*.

avaient détourné par là tous les autres peuples de partager avec eux un péril dont ils voulaient tant sortir eux-mêmes. Mais Mithridate fit d'abord sentir à toute la Terre qu'il était ennemi des Romains, et qu'il le serait toujours.

Enfin, les villes de Grèce et d'Asie, voyant que le joug des Romains s'appesantissait tous les jours sur elles, mirent leur confiance dans ce roi barbare, qui les appelait à la liberté.

Cette disposition des choses produisit trois grandes guerres, qui forment un des beaux morceaux de l'histoire romaine, parce qu'on n'y voit pas des princes déjà vaincus par les délices et l'orgueil, comme Antiochus et Tigrane, ou par la crainte, comme Philippe, Persée et Jugurtha, mais un roi magnanime, qui, dans les adversités, tel qu'un lion qui regarde ses blessures, n'en était que plus indigné.

Elles sont singulières, parce que les révolutions y sont continuelles et toujours inopinées : car, si Mithridate pouvait aisément réparer ses armées, il arrivait aussi que, dans les revers, où l'on a plus besoin d'obéissance et de discipline, ses troupes barbares l'abandonnaient ; s'il avait l'art de solliciter les peuples et de faire révolter les villes, il éprouvait, à son tour, des perfidies de la part de ses capitaines, de ses enfants et de ses femmes ; enfin, s'il eut affaire à des généraux romains malhabiles, on envoya contre lui, en divers temps, Sylla, Lucullus et Pompée.

Ce prince, après avoir battu les généraux romains et fait la conquête de l'Asie, de la Macédoine et de la Grèce, ayant été vaincu à son tour par Sylla, réduit par un traité à ses anciennes limites, fatigué par les généraux romains, devenu encore une fois leur vainqueur et le conquérant de l'Asie, chassé par Lucullus, suivi dans son propre pays, fut obligé de se retirer chez Tigrane, et, le voyant perdu sans ressource, après sa défaite, ne comptant plus que sur lui-même, il se réfugia dans ses propres Etats et s'y rétablit.

Pompée succéda à Lucullus, et Mithridate en fut accablé : il fuit de ses Etats, et, passant l'Araxe, il marcha de péril en péril par le pays des Laziens, et, ramassant dans son chemin ce qu'il trouva de Barbares, il parut dans le Bosphore, devant son fils Maccharès [1], qui avait fait sa paix avec les Romains.

Dans l'abîme où il était, il forma le dessein de porter la guerre en Italie et d'aller à Rome avec les mêmes nations qui l'asservirent quelques siècles après, et par le même chemin qu'elles tinrent [2].

Trahi par Pharnace, un autre de ses fils, et par une armée effrayée de la grandeur de ses entreprises et des hasards qu'il allait chercher, il mourut en roi.

Ce fut alors que Pompée, dans la rapidité de ses victoires, acheva le pompeux ouvrage de la grandeur de Rome. Il unit au corps de son empire des pays infinis; ce qui servit plus au spectacle de la magnificence romaine qu'à sa vraie puissance. Et, quoiqu'il parût par les écriteaux portés à son triomphe qu'il avait augmenté le revenu du fisc de plus d'un tiers [3], le pouvoir n'augmenta pas, et la liberté publique n'en fut que plus exposée.

---

1. Mithridate l'avait fait roi du Bosphore. Sur la nouvelle de l'arrivée de son père, il se donna la mort.
2. Voyez Appian, *De Bello Mithridatico.*
3. Voyez Plutarque, dans la *Vie de Pompée*, et Zonaras, liv. II.

CHAPITRE VIII

DES DIVISIONS QUI FURENT TOUJOURS DANS LA VILLE

Pendant que Rome conquérait l'Univers, il y avait
dans ses murailles une guerre cachée : c'étaient des
feux comme ceux de ces volcans qui sortent sitôt que
quelque matière vient en augmenter la fermentation.

Après l'expulsion des Rois, le gouvernement était
devenu aristocratique : les familles patriciennes obtenaient seules toutes les magistratures[1], toutes les
dignités et, par conséquent, tous les honneurs militaires et civils[2].

Les Patriciens, voulant empêcher le retour des Rois,
cherchèrent à augmenter le mouvement qui était dans
l'esprit du Peuple. Mais ils firent plus qu'ils ne voulurent : à force de lui donner de la haine pour les Rois,
ils lui donnèrent un désir immodéré de la liberté.
Comme l'autorité royale avait passé tout entière entre
les mains des consuls, le Peuple sentit que cette liberté
dont on voulait lui donner tant d'amour, il ne l'avait
pas ; il chercha donc à abaisser le consulat, à avoir des
magistrats plébéiens, et à partager avec les Nobles les
magistratures curules. Les Patriciens furent forcés de
lui accorder tout ce qu'il demanda : car, dans une ville
où la pauvreté était la vertu publique, où les richesses,
cette voie sourde pour acquérir la puissance, étaient

---

1. Les Patriciens avaient même, en quelque façon, un caractère sacré : il n'y avait qu'eux qui pussent prendre les auspices.
Voyez dans Tite-Live, liv. VI, la harangue d'Appius Claudius.
2. Par exemple, il n'y avait qu'eux qui pussent triompher,
puisqu'il n'y avait qu'eux qui pussent être consuls et commander
les armées.

méprisées, la naissance et les dignités ne pouvaient pas donner de grands avantages. La puissance devait donc revenir au plus grand nombre, et l'aristocratie, se changer peu à peu en un Etat populaire.

Ceux qui obéissent à un roi sont moins tourmentés d'envie et de jalousie que ceux qui vivent dans une aristocratie héréditaire. Le Prince est si loin de ses sujets qu'il n'en est presque pas vu, et il est si fort au-dessus d'eux qu'ils ne peuvent imaginer aucun rapport qui puisse les choquer. Mais les Nobles qui gouvernent sont sous les yeux de tous et ne sont pas si élevés que des comparaisons odieuses ne se fassent sans cesse. Aussi a-t-on vu de tout temps, et le voit-on encore, le Peuple détester les Sénateurs. Les républiques où la naissance ne donne aucune part au gouvernement sont à cet égard les plus heureuses : car le Peuple peut moins envier une autorité qu'il donne à qui il veut, et qu'il reprend à sa fantaisie.

Le Peuple, mécontent des Patriciens, se retira sur le Mont Sacré. On lui envoya des députés, qui l'apaisèrent, et, comme chacun se promit secours l'un à l'autre en cas que les Patriciens ne tinssent pas les paroles données [1] (ce qui eût causé, à tous les instants, des séditions et aurait troublé toutes les fonctions des magistrats), on jugea qu'il valait mieux créer une magistrature qui pût empêcher les injustices faites à un plébéien [2]. Mais, par une maladie éternelle des hommes, les Plébéiens, qui avaient obtenu des tribuns pour se défendre, s'en servirent pour attaquer : ils enlevèrent peu à peu toutes les prérogatives des Patriciens. Cela produisit des contestations continuelles. Le Peuple était soutenu ou plutôt animé par ses tribuns, et les Patriciens étaient défendus par le Sénat, qui était presque tout composé de Patriciens, qui était plus porté pour les maximes anciennes, et qui craignait que la populace n'élevât à la tyrannie quelque tribun.

Le Peuple employait pour lui ses propres forces et sa supériorité dans les suffrages, ses refus d'aller à la

1. Zonaras, liv. II.
2. Origine des tribuns du Peuple.

guerre, ses menaces de se retirer, la partialité de ses lois, enfin, ses jugements contre ceux qui lui avaient fait trop de résistance. Le Sénat se défendait par sa sagesse, sa justice et l'amour qu'il inspirait pour la Patrie, par ses bienfaits et une sage dispensation des trésors de la République, par le respect que le Peuple avait pour la gloire des principales familles [1] et la vertu des grands personnages, par la Religion même, les institutions anciennes et la suppression des jours d'assemblée sous prétexte que les auspices n'avaient pas été favorables, par les clients, par l'opposition d'un tribun à un autre, par la création d'un dictateur [2], les occupations d'une nouvelle guerre ou les malheurs qui réunissaient tous les intérêts, enfin, par une condescendance paternelle à accorder au Peuple une partie de ses demandes pour lui faire abandonner les autres, et cette maxime constante de préférer la conservation de la République aux prérogatives de quelque ordre ou de quelque magistrature que ce fût.

Dans la suite des temps, lorsque les Plébéiens eurent tellement abaissé les Patriciens que cette distinction de famille devint vaine, et que les unes et les autres furent indifféremment élevées aux honneurs [3], il y eut de nouvelles disputes entre le bas peuple, agité par ses tribuns, et les principales familles patriciennes ou

1. Le Peuple, qui aimait la gloire, composé de gens qui avaient passé leur vie à la guerre, ne pouvait refuser ses suffrages à un grand homme sous lequel il avait combattu. Il obtenait le droit d'élire des plébéiens, et il élisait des Patriciens. Il fut obligé de se lier les mains, en établissant qu'il y aurait toujours un consul plébéien. Aussi les familles plébéiennes qui entrèrent dans les charges y furent-elles ensuite continuellement portées, et, quand le Peuple éleva aux honneurs quelque homme de néant, comme Varron et Marius, ce fut une espèce de victoire qu'il remporta sur lui-même.

2. Les Patriciens, pour se défendre, avaient coutume de créer un dictateur, ce qui leur réussissait admirablement bien. Mais les Plébéiens, ayant obtenu de pouvoir être élus consuls, purent aussi être élus dictateurs; ce qui déconcerta les Patriciens. Voyez dans Tite-Live, liv. VIII, comment Publilius Philo les abaissa dans sa dictature : il fit trois lois qui leur furent très préjudiciables.

3. Les Patriciens ne conservèrent que quelques sacerdoces et le droit de créer un magistrat qu'on appelait *entre-roi*.

plébéiennes, qu'on appela *les Nobles*, et qui avaient pour elles le Sénat, qui en était composé. Mais, comme les mœurs anciennes n'étaient plus, que des particuliers avaient des richesses immenses, et qu'il est impossible que les richesses ne donnent du pouvoir, les Nobles résistèrent avec plus de force que les Patriciens n'avaient fait ; ce qui fut cause de la mort des Gracques et de plusieurs de ceux qui travaillèrent sur leur plan [1].

Il faut que je parle d'une magistrature qui contribua beaucoup à maintenir le gouvernement de Rome : ce fut celle des censeurs. Ils faisaient le dénombrement du Peuple, et, de plus, comme la force de la République consistait dans la discipline, l'austérité des mœurs et l'observation constante de certaines coutumes, ils corrigeaient les abus que la Loi n'avait pas prévus, ou que le Magistrat ordinaire ne pouvait pas punir [2]. Il y a de mauvais exemples qui sont pires que les crimes, et plus d'Etats ont péri parce qu'on a violé les mœurs, que parce qu'on a violé les lois. A Rome, tout ce qui pouvait introduire des nouveautés dangereuses, changer le cœur ou l'esprit du citoyen, et en empêcher, si j'ose me servir de ce terme, la perpétuité, les désordres domestiques ou publics, étaient réformés par les censeurs : ils pouvaient chasser du Sénat qui ils voulaient, ôter à un chevalier le cheval qui lui était entretenu par le Public, mettre un citoyen dans une autre tribu et même parmi ceux qui payaient les charges de la Ville sans avoir part à ses privilèges [3].

M. Livius nota le Peuple même [4], et, de trente-cinq tribus, il en mit trente-quatre au rang de ceux qui n'avaient point de part aux privilèges de la Ville : « Car, disait-il, après m'avoir condamné, vous m'avez fait consul et censeur. Il faut donc que vous ayez pré-

1. Comme Saturninus et Glaucas.
2. On peut voir comme ils dégradèrent ceux qui, après la bataille de Cannes, avaient été d'avis d'abandonner l'Italie ; ceux qui s'étaient rendus à Annibal ; ceux qui, par une mauvaise interprétation, lui avaient manqué de parole.
3. Cela s'appelait : *Ærarium aliquem facere aut in Cæritum tabulas referre*. On était mis hors de sa centurie, et on n'avait plus le droit de suffrage.
4. Tite-Live, liv. XXIX.

variqué une fois, en m'infligeant une peine, ou deux fois, en me créant consul et ensuite censeur. »

M. Duronius, tribun du Peuple, fut chassé du Sénat par les censeurs parce que, pendant sa magistrature, il avait abrogé la loi qui bornait les dépenses des festins [1].

C'était une institution bien sage : ils ne pouvaient ôter à personne une magistrature [2], parce que cela aurait troublé l'exercice de la puissance publique; mais ils faisaient déchoir de l'ordre et du rang et privaient, pour ainsi dire, un citoyen de sa noblesse particulière.

Servius Tullius avait fait la fameuse division par centuries, que Tite-Live [3] et Denys d'Halicarnasse [4] nous ont si bien expliquée. Il avait distribué cent quatre-vingt-treize centuries en six classes et mis tout le bas peuple dans la dernière centurie, qui formait seule la sixième classe. On voit que cette disposition excluait le bas peuple du suffrage, non pas de droit, mais de fait. Dans la suite, on régla qu'excepté dans quelques cas particuliers on suivrait dans les suffrages la division par tribus. Il y en avait trente-cinq, qui donnaient chacune leur voix : quatre de la Ville et trente-une de la campagne. Les principaux citoyens, tous laboureurs, entrèrent naturellement dans les tribus de la campagne, et celles de la Ville reçurent le bas peuple [5], qui, y étant enfermé, influait très peu dans les affaires, et cela était regardé comme le salut de la République. Et, quand Fabius remit dans les quatre tribus de la Ville le menu peuple, qu'Appius Claudius avait répandu dans toutes, il en acquit le surnom de *Très Grand* [6]. Les censeurs jetaient les yeux, tous les cinq ans, sur la situation actuelle de la République et distribuaient de manière le Peuple, dans ses diverses tribus, que les tribuns et les ambitieux ne

1. Valère Maxime, liv. II.
2. La dignité de sénateur n'était pas une magistrature.
3. Liv. I.
4. Liv. IV, art. 15 et suiv.
5. Appelé *turba forensis*.
6. Voyez Tite-Live, liv. IX.

pussent pas se rendre maîtres des suffrages, et que le Peuple même ne pût pas abuser de son pouvoir.

Le gouvernement de Rome fut admirable en ce que, depuis sa naissance, sa constitution se trouva telle, soit par l'esprit du Peuple, la force du Sénat ou l'autorité de certains magistrats, que tout abus du pouvoir y put toujours être corrigé.

Carthage périt parce que, lorsqu'il fallut retrancher les abus, elle ne put souffrir la main de son Annibal même. Athènes tomba parce que ses erreurs lui parurent si douces qu'elle ne voulut pas en guérir. Et, parmi nous, les républiques d'Italie, qui se vantent de la perpétuité de leur gouvernement, ne doivent se vanter que de la perpétuité de leurs abus; aussi n'ont-elles pas plus de liberté [1] que Rome n'en eut du temps des Décemvirs.

Le gouvernement d'Angleterre est plus sage, parce qu'il y a un corps qui l'examine continuellement, et qui s'examine continuellement lui-même, et telles sont ses erreurs qu'elles ne sont jamais longues, et que, par l'esprit d'attention qu'elles donnent à la Nation, elles sont souvent utiles.

En un mot, un gouvernement libre, c'est-à-dire toujours agité, ne saurait se maintenir s'il n'est, par ses propres lois, capable de correction.

1. Ni même plus de puissance.

CHAPITRE IX

DEUX CAUSES DE LA PERTE DE ROME

Lorsque la domination de Rome était bornée dans l'Italie, la République pouvait facilement subsister. Tout soldat était également citoyen : chaque consul levait une armée, et d'autres citoyens allaient à la guerre sous celui qui succédait. Le nombre des troupes n'étant pas excessif, on avait attention à ne recevoir dans la milice que des gens qui eussent assez de bien pour avoir intérêt à la conservation de la Ville [1]. Enfin, le Sénat voyait de près la conduite des généraux et leur ôtait la pensée de rien faire contre leur devoir.

Mais, lorsque les légions passèrent les Alpes et la mer, les gens de guerre, qu'on était obligé de laisser pendant plusieurs campagnes dans les pays que l'on soumettait, perdirent peu à peu l'esprit de citoyens, et les généraux, qui disposèrent des armées et des royaumes, sentirent leur force et ne purent plus obéir.

Les soldats commencèrent donc à ne reconnaître que leur général, à fonder sur lui toutes leurs espé-

---

1. Les affranchis et ceux qu'on appelait *capite censi*, parce qu'ayant très peu de bien ils n'étaient taxés que pour leur tête, ne furent point d'abord enrôlés dans la milice de terre, excepté dans les cas pressants. Servius Tullius les avait mis dans la sixième classe, et on ne prenait des soldats que dans les cinq premières. Mais Marius, partant contre Jugurtha, enrôla indifféremment tout le monde. *Milites scribere*, dit Salluste, *non more majorum neque classibus, sed uti cujusque libido erat*, capite censos plerosque (*De Bello Jugurth.*). Remarquez que, dans la division par tribus, ceux qui étaient dans les quatre tribus de la Ville étaient à peu près les mêmes que ceux qui, dans la division par centuries, étaient dans la sixième classe.

rances, et à voir de plus loin la Ville. Ce ne furent plus
les soldats de la République, mais de Sylla, de Marius,
de Pompée, de César. Rome ne put plus savoir si celui
qui était à la tête d'une armée, dans une province,
était son général ou son ennemi.

Tandis que le peuple de Rome ne fut corrompu que
par ses tribuns, à qui il ne pouvait accorder que sa
puissance même, le Sénat put aisément se défendre,
parce qu'il agissait constamment, au lieu que la populace passait sans cesse de l'extrémité de la fougue à
l'extrémité de la faiblesse. Mais, quand le Peuple put
donner à ses favoris une formidable autorité au-dehors,
toute la sagesse du Sénat devint inutile, et la République fut perdue.

Ce qui fait que les Etats libres durent moins que les
autres, c'est que les malheurs et les succès qui leur
arrivent leur font presque toujours perdre la liberté,
au lieu que les succès et les malheurs d'un Etat où le
Peuple est soumis confirment également sa servitude.
Une république sage ne doit rien hasarder qui l'expose
à la bonne ou à la mauvaise fortune : le seul bien auquel
elle doit aspirer, c'est à la perpétuité de son Etat.

Si la grandeur de l'Empire perdit la République, la
grandeur de la Ville ne la perdit pas moins.

Rome avait soumis tout l'Univers avec le secours
des peuples d'Italie, auxquels elle avait donné en
différents temps divers privilèges [1] : la plupart de ces
peuples ne s'étaient pas d'abord fort souciés du droit
de bourgeoisie chez les Romains, et quelques-uns
aimèrent mieux garder leurs usages [2]. Mais, lorsque
ce droit fut celui de la souveraineté universelle, qu'on
ne fut rien dans le Monde si l'on n'était citoyen romain,
et qu'avec ce titre on était tout, les peuples d'Italie
résolurent de périr ou d'être romains. Ne pouvant en
venir à bout par leurs brigues et par leurs prières, ils
prirent la voie des armes : ils se révoltèrent dans tout

1. *Jus Latii, jus italicum.*
2. Les Eques disaient dans leurs assemblées : « Ceux qui ont
pu choisir ont préféré leurs lois au droit de la cité romaine, qui
a été une peine nécessaire pour ceux qui n'ont pu s'en défendre. »
(Tite-Live, liv. IX.)

ce côté qui regarde la Mer Ionienne [1]; les autres alliés allaient les suivre. Rome, obligée de combattre contre ceux qui étaient, pour ainsi dire, les mains avec lesquelles elle enchaînait l'Univers, était perdue; elle allait être réduite à ses murailles : elle accorda ce droit tant désiré aux alliés qui n'avaient pas encore cessé d'être fidèles [2], et, peu à peu, elle l'accorda à tous.

Pour lors, Rome ne fut plus cette ville dont le peuple n'avait eu qu'un même esprit, un même amour pour la liberté, une même haine pour la tyrannie; où cette jalousie du pouvoir du Sénat et des prérogatives des Grands, toujours mêlée de respect, n'était qu'un amour de l'égalité. Les peuples d'Italie étant devenus ses citoyens [3], chaque ville y apporta son génie, ses intérêts particuliers et sa dépendance de quelque grand protecteur. La Ville, déchirée, ne forma plus un tout ensemble, et, comme on n'en était citoyen que par une espèce de fiction, qu'on n'avait plus les mêmes magistrats, les mêmes murailles, les mêmes Dieux, les mêmes temples, les mêmes sépultures, on ne vit plus Rome des mêmes yeux, on n'eut plus le même amour pour la Patrie, et les sentiments romains ne furent plus.

Les ambitieux firent venir à Rome des villes et des nations entières pour troubler les suffrages ou se les faire donner; les assemblées furent de véritables conjurations; on appela *comices* une troupe de quelques séditieux; l'autorité du Peuple, ses lois, lui-même, devinrent des choses chimériques, et l'anarchie fut telle qu'on ne put plus savoir si le Peuple avait fait une ordonnance, ou s'il ne l'avait point faite [4].

1. Les Asculans, les Marses, les Vestins, les Marrucins, les Férentans, les Hirpins, les Pompéïans, les Venusiens, les Japiges, les Lucaniens, les Samnites et autres. (Appian, *De la Guerre civile*, liv. I.)
2. Les Toscans, les Umbriens, les Latins. Cela porta quelques peuples à se soumettre, et, comme on les fit aussi citoyens, d'autres posèrent encore les armes; et, enfin, il ne resta que les Samnites, qui furent exterminés.
3. Qu'on s'imagine cette tête monstrueuse des peuples d'Italie, qui, par le suffrage de chaque homme, conduisait le reste du Monde.
4. Voyez les *Lettres de Cicéron à Atticus*, liv. IV, lett. 8.

On n'entend parler dans les auteurs que des divisions qui perdirent Rome. Mais on ne voit pas que ces divisions y étaient nécessaires, qu'elles y avaient toujours été, et qu'elles y devaient toujours être. Ce fut uniquement la grandeur de la République qui fit le mal, et qui changea en guerres civiles les tumultes populaires. Il fallait bien qu'il y eût à Rome des divisions, et ces guerriers si fiers, si audacieux, si terribles au-dehors, ne pouvaient pas être bien modérés au-dedans. Demander, dans un Etat libre, des gens hardis dans la guerre et timides dans la paix, c'est vouloir des choses impossibles, et, pour règle générale, toutes les fois qu'on verra tout le monde tranquille dans un Etat qui se donne le nom de *république*, on peut être assuré que la liberté n'y est pas.

Ce qu'on appelle *union* dans un corps politique est une chose très équivoque : la vraie est une union d'harmonie, qui fait que toutes les parties, quelque opposées qu'elles nous paraissent, concourent au bien général de la Société, comme des dissonances dans la musique concourent à l'accord total. Il peut y avoir de l'union dans un Etat où l'on ne croit voir que du trouble, c'est-à-dire une harmonie d'où résulte le bonheur, qui seul est la vraie paix. Il en est comme des parties de cet Univers, éternellement liées par l'action des unes et la réaction des autres.

Mais, dans l'accord du despotisme asiatique, c'est-à-dire de tout gouvernement qui n'est pas modéré, il y a toujours une division réelle : le laboureur, l'homme de guerre, le négociant, le magistrat, le noble, ne sont joints que parce que les uns oppriment les autres sans résistance, et, si l'on y voit de l'union, ce ne sont pas des citoyens qui sont unis, mais des corps morts, ensevelis les uns auprès des autres.

Il est vrai que les lois de Rome devinrent impuissantes pour gouverner la République. Mais c'est une chose qu'on a vue toujours, que de bonnes lois, qui ont fait qu'une petite république devient grande, lui deviennent à charge lorsqu'elle s'est agrandie, parce qu'elles étaient telles que leur effet naturel était de faire un grand peuple, et non pas de le gouverner.

Il y a bien de la différence entre les lois bonnes et les lois convenables, celles qui font qu'un peuple se rend maître des autres, et celles qui maintiennent sa puissance lorsqu'il l'a acquise.

Il y a à présent dans le Monde une république [1] que presque personne ne connaît, et qui, dans le secret et dans le silence, augmente ses forces chaque jour. Il est certain que, si elle parvient jamais à l'état de grandeur où sa sagesse la destine, elle changera nécessairement ses lois, et ce ne sera point l'ouvrage d'un législateur, mais celui de la corruption même.

Rome était faite pour s'agrandir, et ses lois étaient admirables pour cela. Aussi, dans quelque gouvernement qu'elle ait été, sous le pouvoir des Rois, dans l'aristocratie ou dans l'Etat populaire, elle n'a jamais cessé de faire des entreprises qui demandaient de la conduite, et y a réussi. Elle ne s'est pas trouvée plus sage que tous les autres Etats de la Terre en un jour, mais continuellement; elle a soutenu une petite, une médiocre, une grande fortune, avec la même supériorité, et n'a point eu de prospérités dont elle n'ait profité, ni de malheurs dont elle ne se soit servie.

Elle perdit sa liberté parce qu'elle acheva trop tôt son ouvrage.

1. Le canton de Berne.

CHAPITRE X

DE LA CORRUPTION DES ROMAINS

Je crois que la secte d'Epicure [1], qui s'introduisit à Rome sur la fin de la République, contribua beaucoup à gâter le cœur et l'esprit des Romains. Les Grecs en avaient été infatués avant eux. Aussi avaient-ils été plus tôt corrompus. Polybe nous dit que, de son temps, les serments ne pouvaient donner de la confiance pour un Grec, au lieu qu'un Romain en était, pour ainsi dire, enchaîné [2].

Il y a un fait dans les lettres de Cicéron à Atticus [3] qui nous montre combien les Romains avaient changé à cet égard depuis le temps de Polybe.

« Memmius, dit-il, vient de communiquer au Sénat l'accord que son compétiteur et lui avaient fait avec les consuls, par lequel ceux-ci s'étaient engagés de les favoriser dans la poursuite du consulat pour l'année suivante ; et eux, de leur côté, s'obligeaient de payer aux consuls quatre cent mille sesterces s'ils ne leur fournissaient trois augures qui déclareraient qu'ils étaient présents lorsque le Peuple avait fait la loi

1. Cynéas en ayant discouru à la table de Pyrrhus, Fabricius souhaita que les ennemis de Rome pussent tous prendre les principes d'une pareille secte. (Plutarque. *Vie de Pyrrhus*.)
2. « Si vous prêtez aux Grecs un talent avec dix promesses, dix cautions, autant de témoins. il est impossible qu'ils gardent leur foi ; mais, parmi les Romains, soit qu'on doive rendre compte des deniers publics ou de ceux des particuliers, on est fidèle, à cause du serment que l'on a fait. On a donc sagement établi la crainte des Enfers, et c'est sans raison qu'on la combat aujourd'hui. » (Polybe, liv. VI.)
3. Liv. IV, lett. 18.

curiate [1], quoiqu'il n'en eût point fait, et deux consulaires qui affirmeraient qu'ils avaient assisté à la signature du sénatus-consulte qui réglait l'état de leurs provinces, quoiqu'il n'y en eût point eu. » Que de malhonnêtes gens dans un seul contrat !

Outre que la Religion est toujours le meilleur garant que l'on puisse avoir des mœurs des hommes, il y avait ceci de particulier chez les Romains, qu'ils mêlaient quelque sentiment religieux à l'amour qu'ils avaient pour leur patrie : cette ville fondée sous les meilleurs auspices, ce Romulus, leur roi et leur Dieu, ce Capitole, éternel comme la Ville, et la Ville, éternelle comme son fondateur, avaient fait autrefois sur l'esprit des Romains une impression qu'il eût été à souhaiter qu'ils eussent conservée.

La grandeur de l'Etat fit la grandeur des fortunes particulières ; mais, comme l'opulence est dant les mœurs, et non pas dans les richesses, celles des Romains, qui ne laissaient pas d'avoir des bornes produisirent un luxe et des profusions qui n'en avaient point [2]. Ceux qui avaient d'abord été corrompus par leurs richesses le furent ensuite par leur pauvreté ; avec des biens au-dessus d'une condition privée, il fut difficile d'être un bon citoyen ; avec les désirs et les regrets d'une grande fortune ruinée, on fut prêt à tous les attentats ; et, comme dit Salluste [3], on vit une génération de gens qui ne pouvaient avoir de patrimoine, ni souffrir que d'autres en eussent.

Cependant, quelle que fût la corruption de Rome, tous les malheurs ne s'y étaient pas introduits : car la force de son institution avait été telle qu'elle avait

1. La loi curiate donnait la puissance militaire, et le sénatus-consulte réglait les troupes, l'argent, les officiers que devait avoir le gouverneur. Or les consuls, pour que tout cela fût fait à leur fantaisie, voulaient fabriquer une fausse loi et un faux sénatus-consulte.

2. La maison que Cornélie avait achetée soixante et quinze mille drachmes, Lucullus l'acheta, peu de temps après, deux millions cinq cent mille. (Plutarque, *Vie de Marius*.)

3. *Ut merito dicatur genitos esse qui nec ipsi habere possent res familiares, nec alios pati.* (Fragm. de l'*Histoire* de Salluste, tiré du livre de la *Cité de Dieu*, liv. II, chap. XVIII.)

conservé une valeur héroïque et toute son application
à la guerre au milieu des richesses, de la mollesse et
de la volupté; ce qui n'est, je crois, arrivé à aucune
nation du Monde.

Les citoyens romains regardaient le commerce et
les arts [1] comme des occupations d'esclaves [2]; ils ne
les exerçaient point. S'il y eut quelques exceptions,
ce ne fut que de la part de quelques affranchis qui
continuaient leur première industrie. Mais, en général,
ils ne connaissaient que l'art de la guerre, qui était la
seule voie pour aller aux magistratures et aux honneurs [3]. Ainsi les vertus guerrières restèrent après
qu'on eut perdu toutes les autres.

1. Romulus ne permit que deux sortes d'exercices aux gens
libres : l'agriculture et la guerre. Les marchands, les ouvriers,
ceux qui tenaient une maison à louage, les cabaretiers, n'étaient
pas du nombre des citoyens. (Denys d'Halicarnasse, liv. II; *ibid.*,
liv. IX.)
2. Cicéron en donne les raisons dans ses *Offices* (liv. I, chap. XLII).
3. Il fallait avoir servi dix années entre l'âge de seize ans et
celui de quarante-sept. Voyez Polybe, liv. VI.

CHAPITRE XI

I. DE SYLLA. — II. DE POMPÉE ET CÉSAR

Je supplie qu'on me permette de détourner les yeux des horreurs des guerres de Marius et de Sylla; on en trouvera dans Appien l'épouvantable histoire : outre la jalousie, l'ambition et la cruauté des deux chefs, chaque Romain était furieux; les nouveaux citoyens et les anciens ne se regardaient plus comme les membres d'une même république [1], et l'on se faisait une guerre qui, par un caractère particulier, était en même temps civile et étrangère.

Sylla fit des lois très propres à ôter la cause des désordres que l'on avait vus : elles augmentaient l'autorité du Sénat, tempéraient le pouvoir du Peuple, réglaient celui des tribuns. La fantaisie qui lui fit quitter la dictature sembla rendre la vie à la République; mais, dans la fureur de ses succès, il avait fait des choses qui mirent Rome dans l'impossibilité de conserver sa liberté.

Il ruina, dans son expédition d'Asie, toute la discipline militaire : il accoutuma son armée aux rapines [2] et lui donna des besoins qu'elle n'avait jamais eus. Il

1. Comme Marius, pour se faire donner la commission de la guerre contre Mithridate au préjudice de Sylla, avait, par le secours du tribun Sulpitius, répandu les huit nouvelles tribus des peuples d'Italie dans les anciennes, ce qui rendait les Italiens maîtres des suffrages, ils étaient la plupart du parti de Marius, pendant que le Sénat et les anciens citoyens étaient du parti de Sylla.
2. Voyez, dans la *Conjuration de Catilina*, le portrait que Salluste nous fait de cette armée.

corrompit une fois des soldats, qui devaient dans la suite corrompre les capitaines.

Il entra dans Rome à main armée et enseigna aux généraux romains à violer l'asile de la liberté [1].

Il donna les terres des citoyens aux soldats [2], et il les rendit avides pour jamais : car, dès ce moment, il n'y eut plus un homme de guerre qui n'attendît une occasion qui pût mettre les biens de ses concitoyens entre ses mains.

Il inventa les proscriptions et mit à prix la tête de tous ceux qui n'étaient pas de son parti. Dès lors, il fut impossible de s'attacher davantage à la République : car, parmi deux hommes ambitieux, et qui se disputaient la victoire, ceux qui étaient neutres et pour le parti de la liberté étaient sûrs d'être proscrits par celui des deux qui serait le vainqueur. Il était donc de la prudence de s'attacher à l'un des deux.

Il vint après lui, dit Cicéron [3], un homme qui, dans une cause impie et une victoire encore plus honteuse, ne confisqua pas seulement les biens des particuliers, mais enveloppa dans la même calamité des provinces entières.

Sylla, quittant la dictature, avait semblé ne vouloir vivre que sous la protection de ses lois mêmes. Mais cette action, qui marqua tant de modération, était elle-même une suite de ses violences. Il avait donné des établissements à quarante-sept légions dans divers endroits de l'Italie. Ces gens-là, dit Appien, regardant leur fortune comme attachée à sa vie, veillaient à sa sûreté et étaient toujours prêts à le secourir ou à le venger [4].

La République devant nécessairement périr, il n'était plus question que de savoir comment et par qui elle devait être abattue.

1. *Fugatis Marii copiis, primus urbem Romam cum armis ingressus est.* (Fragment de Jean d'Antioche, dans l'*Extrait des Vertus et des Vices.*)
2. On distribua bien, au commencement, une partie des terres des ennemis vaincus; mais Sylla donnait les terres des citoyens.
3. *Offices*, liv. II, chap. VIII.
4. On peut voir ce qui arriva après la mort de César.

Deux hommes également ambitieux, excepté que l'un ne savait pas aller à son but si directement que l'autre, effacèrent par leur crédit, par leurs exploits, par leurs vertus, tous les autres citoyens : Pompée parut le premier, et César le suivit de près.

Pompée, pour s'attirer la faveur, fit casser les lois de Sylla qui bornaient le pouvoir du Peuple, et, quand il eut fait à son ambition un sacrifice des lois les plus salutaires de sa patrie, il obtint tout ce qu'il voulut, et la témérité du Peuple fut sans bornes à son égard.

Les lois de Rome avaient sagement divisé la puissance publique en un grand nombre de magistratures, qui se soutenaient, s'arrêtaient, et se tempéraient l'une l'autre; et, comme elles n'avaient toutes qu'un pouvoir borné, chaque citoyen était bon pour y parvenir, et le Peuple, voyant passer devant lui plusieurs personnages l'un après l'autre, ne s'accoutumait à aucun d'eux. Mais, dans ces temps-ci, le système de la République changea : les plus puissants se firent donner par le Peuple des commissions extraordinaires; ce qui anéantit l'autorité du Peuple et des magistrats et mit toutes les grandes affaires dans les mains d'un seul ou de peu de gens [1].

Fallut-il faire la guerre à Sertorius ? On en donna la commission à Pompée. Fallut-il la faire à Mithridate ? Tout le monde cria : « Pompée ». Eut-on besoin de faire venir des blés à Rome ? Le Peuple croit être perdu si on n'en charge Pompée. Veut-on détruire les pirates ? Il n'y a que Pompée. Et, lorsque César menace d'envahir, le Sénat crie à son tour et n'espère plus qu'en Pompée.

« Je crois bien, disait Marcus au Peuple [2], que Pompée, que les Nobles attendent, aimera mieux assurer votre liberté que leur domination; mais il y a eu un temps où chacun de vous avait la protection de plusieurs, et non pas tous la protection d'un seul, et

1. *Plebis opes imminutæ, paucorum potentia crevit.* (Salluste, *De Conjurat. Catil.*).
2. Fragment de l'*Hist.* de Salluste.

où il était inouï qu'un mortel pût donner ou ôter de pareilles choses. »

À Rome, faite pour s'agrandir, il avait fallu réunir dans les mêmes personnes les honneurs et la puissance; ce qui, dans des temps de trouble, pouvait fixer l'administration du Peuple sur un seul citoyen.

Quand on accorde des honneurs, on sait précisément ce que l'on donne; mais, quand on y joint le pouvoir, on ne peut dire à quel point il pourra être porté.

Des préférences excessives données à un citoyen dans une république ont toujours des effets nécessaires : elles font naître l'envie du Peuple, ou elles augmentent sans mesure son amour.

Deux fois Pompée, retournant à Rome, maître d'opprimer la République, eut la modération de congédier ses armées avant que d'y entrer, et d'y paraître en simple citoyen. Ces actions, qui le comblèrent de gloire, firent que, dans la suite, quelque chose qu'il eût faite au préjudice des lois, le Sénat se déclara toujours pour lui.

Pompée avait une ambition plus lente et plus douce que celle de César : celui-ci voulait aller à la souveraine puissance les armes à la main, comme Sylla. Cette façon d'opprimer ne plaisait point à Pompée : il aspirait à la dictature, mais par les suffrages du Peuple; il ne pouvait consentir à usurper la puissance, mais il aurait voulu qu'on la lui remît entre les mains.

Comme la faveur du Peuple n'est jamais constante, il y eut des temps où Pompée vit diminuer son crédit [1], et, ce qui le toucha bien sensiblement, des gens qu'il méprisait augmentèrent le leur et s'en servirent contre lui.

Cela lui fit faire trois choses également funestes.

Il corrompit le Peuple à force d'argent et mit dans les élections un prix aux suffrages de chaque citoyen.

De plus, il se servit de la plus vile populace pour troubler les magistrats dans leurs fonctions, espérant

1. Voyez Plutarque.

que les gens sages, lassés de vivre dans l'anarchie, le créeraient dictateur par désespoir.

Enfin, il s'unit d'intérêts avec César et Crassus. Caton disait que ce n'était pas leur inimitié qui avait perdu la République, mais leur union. En effet, Rome était en ce malheureux état qu'elle était moins accablée par les guerres civiles que par la paix, qui, réunissant les vues et les intérêts des principaux, ne faisait plus qu'une tyrannie.

Pompée ne prêta pas proprement son crédit à César, mais, sans le savoir, il le lui sacrifia. Bientôt César employa contre lui les forces qu'il lui avait données, et ses artifices même ; il troubla la Ville par ses émissaires et se rendit maître des élections : consuls, prêteurs, tribuns, furent achetés au prix qu'ils mirent eux-mêmes.

Le Sénat, qui vit clairement les desseins de César, eut recours à Pompée : il le pria de prendre la défense de la République, si l'on pouvait appeler de ce nom un gouvernement qui demandait la protection d'un de ses citoyens.

Je crois que ce qui perdit surtout Pompée fut la honte qu'il eut de penser qu'en élevant César, comme il avait fait, il eût manqué de prévoyance. Il s'accoutuma le plus tard qu'il put à cette idée ; il ne se mettait point en défense, pour ne point avouer qu'il se fût mis en danger ; il soutenait, au Sénat, que César n'oserait faire la guerre, et, parce qu'il l'avait dit tant de fois, il le redisait toujours.

Il semble qu'une chose avait mis César en état de tout entreprendre ; c'est que, par une malheureuse conformité de noms, on avait joint à son gouvernement de la Gaule Cisalpine celui de la Gaule d'au-delà les Alpes.

La politique n'avait point permis qu'il y eût des armées auprès de Rome ; mais elle n'avait pas souffert non plus que l'Italie fût entièrement dégarnie de troupes. Cela fit qu'on tint des forces considérables dans la Gaule Cisalpine, c'est-à-dire dans le pays qui est depuis le Rubicon, petit fleuve de la Romagne, jusqu'aux Alpes. Mais, pour assurer la ville de Rome contre ces troupes, on fit le célèbre sénatus-consulte que l'on voit encore gravé sur le chemin de Rimini à Césène, par lequel on dévouait aux Dieux infernaux, et l'on déclarait sacrilège et parricide quiconque, avec une légion, avec une armée ou avec une cohorte, passerait le Rubicon.

A un gouvernement si important, qui tenait la Ville en échec, on en joignit un autre plus considérable encore : c'était celui de la Gaule Transalpine, qui comprenait les pays du Midi de la France; qui, ayant donné à César l'occasion de faire la guerre, pendant plusieurs années, à tous les peuples qu'il voulut, fit que ses soldats vieillirent avec lui, et qu'il ne les conquit pas moins que les Barbares. Si César n'avait point eu le gouvernement de la Gaule Transalpine, il n'aurait pas corrompu ses soldats, ni fait respecter son nom par tant de victoires. S'il n'avait pas eu celui de la Gaule Cisalpine, Pompée aurait pu l'arrêter au passage des Alpes; au lieu que, dès le commencement de la guerre, il fut obligé d'abandonner l'Italie; ce qui fit perdre à son parti la réputation, qui, dans les guerres civiles, est la puissance même.

La même frayeur qu'Annibal porta dans Rome après la bataille de Cannes, César l'y répandit lorsqu'il passa le Rubicon. Pompée, éperdu, ne vit, dans les premiers moments de la guerre, de parti à prendre que celui qui reste dans les affaires désespérées : il ne sut que céder et que fuir; il sortit de Rome, y laissa le trésor public; il ne put nulle part retarder le vainqueur; il abandonna une partie de ses troupes, toute l'Italie, et passa la mer.

On parle beaucoup de la fortune de César. Mais cet homme extraordinaire avait tant de grandes qualités, sans pas un défaut, quoiqu'il eût bien des vices, qu'il eût été bien difficile que, quelque armée qu'il eût commandée, il n'eût été vainqueur, et qu'en quelque république qu'il fût né il ne l'eût gouvernée.

César, après avoir défait les lieutenants de Pompée en Espagne, alla en Grèce le chercher lui-même. Pompée, qui avait la côte de la mer et des forces supérieures, était sur le point de voir l'armée de César

détruite par la misère et la faim. Mais, comme il avait
souverainement le faible de vouloir être approuvé, il
ne pouvait s'empêcher de prêter l'oreille aux vains
discours de ses gens, qui le raillaient ou l'accusaient
sans cesse [1]. « Il veut, disait l'un, se perpétuer dans le
commandement et être, comme Agamemnon, le Roi
des Rois. » — « Je vous avertis, disait un autre, que
nous ne mangerons pas encore cette année des figues
de Tusculum. » Quelques succès particuliers qu'il eut
achevèrent de tourner la tête à cette troupe sénatoriale.
Ainsi, pour n'être pas blâmé, il fit une chose que la
postérité blâmera toujours, de sacrifier tant d'avantages pour aller avec des troupes nouvelles combattre
une armée qui avait vaincu tant de fois.

Lorsque les restes de Pharsale se furent retirés en
Afrique, Scipion, qui les commandait, ne voulut
jamais suivre l'avis de Caton, de traîner la guerre en
longueur : enflé de quelques avantages, il risqua tout
et perdit tout ; et, lorsque Brutus et Cassius rétablirent
ce parti, la même précipitation perdit la République
une troisième fois [2].

Vous remarquerez que, dans ces guerres civiles qui
durèrent si longtemps, la puissance de Rome s'accrut
sans cesse au-dehors : sous Marius, Sylla, Pompée,
César, Antoine, Auguste, Rome, toujours plus terrible,
acheva de détruire tous les rois qui restaient encore.

Il n'y a point d'État qui menace si fort les autres
d'une conquête que celui qui est dans les horreurs
de la guerre civile : tout le monde, noble, bourgeois,
artisan, laboureur, y devient soldat ; et, lorsque, par
la paix, les forces sont réunies, cet État a de grands
avantages sur les autres, qui n'ont guère que des
citoyens. D'ailleurs, dans les guerres civiles, il se
forme souvent de grands hommes, parce que, dans la
confusion, ceux qui ont du mérite se font jour, chacun
se place et se met à son rang ; au lieu que, dans les
autres temps, on est placé, et on l'est presque toujours

1. Voyez Plutarque, *Vie de Pompée*.
2. Cela est bien expliqué dans Appien, *De la Guerre civile*,
liv. IV. L'armée d'Octave et d'Antoine aurait péri de faim si
l'on n'avait pas donné la bataille.

tout de travers. Et, pour passer de l'exemple des Romains à d'autres plus récents, les Français n'ont jamais été si redoutables au-dehors qu'après les querelles des maisons de Bourgogne et d'Orléans, après les troubles de la Ligue, après les guerres civiles de la minorité de Louis XIII et celle de Louis XIV. L'Angleterre n'a jamais été si respectée que sous Cromwell, après les guerres du Long Parlement. Les Allemands n'ont pris la supériorité sur les Turcs qu'après les guerres civiles d'Allemagne. Les Espagnols, sous Philippe V, d'abord après les guerres civiles pour la Succession, ont montré en Sicile une force qui a étonné l'Europe. Et nous voyons aujourd'hui la Perse renaître des cendres de la guerre civile et humilier les Turcs.

Enfin, la République fut opprimée, et il n'en faut pas accuser l'ambition de quelques particuliers; il en faut accuser l'Homme, toujours plus avide du pouvoir à mesure qu'il en a davantage, et qui ne désire tout que parce qu'il possède beaucoup.

Si César et Pompée avaient pensé comme Caton, d'autres auraient pensé comme firent César et Pompée, et la République, destinée à périr, aurait été entraînée au précipice par une autre main.

César pardonna à tout le monde. Mais il me semble que la modération que l'on montre après qu'on a tout usurpé ne mérite pas de grandes louanges.

Quoi que l'on ait dit de sa diligence après Pharsale, Cicéron l'accuse de lenteur avec raison : il dit à Cassius [1] qu'ils n'auraient jamais cru que le parti de Pompée se fût ainsi relevé en Espagne et en Afrique, et que, s'ils avaient pu prévoir que César se fût amusé à sa guerre d'Alexandrie, ils n'auraient pas fait leur paix, et qu'ils se seraient retirés avec Scipion et Caton en Afrique. Ainsi un fol amour lui fit essuyer quatre guerres, et, en ne prévenant pas les deux dernières, il remit en question ce qui avait été décidé à Pharsale.

César gouverna d'abord sous des titres de magistrature; car les hommes ne sont guère touchés que des

---

1. *Epîtres familières*, liv. XV.

noms. Et, comme les peuples d'Asie abhorraient ceux de *consul* et de *proconsul*, les peuples d'Europe détestaient celui de *roi*; de sorte que, dans ces temps-là, ces noms faisaient le bonheur ou le désespoir de toute la Terre. César ne laissa pas de tenter de se faire mettre le diadème sur la tête; mais, voyant que le Peuple cessait ses acclamations, il le rejeta. Il fit encore d'autres tentatives [1], et je ne puis comprendre qu'il pût croire que les Romains, pour le souffrir tyran, aimassent pour cela la tyrannie ou crussent avoir fait ce qu'ils avaient fait.

Un jour que le Sénat lui déférait de certains honneurs, il négligea de se lever, et, pour lors, les plus graves de ce corps achevèrent de perdre patience.

On n'offense jamais plus les hommes que lorsqu'on choque leurs cérémonies et leurs usages. Cherchez à les opprimer, c'est quelquefois une preuve de l'estime que vous en faites. Choquez leurs coutumes, c'est toujours une marque de mépris.

César, de tout temps ennemi du Sénat, ne put cacher le mépris qu'il conçut pour ce corps, qui était devenu presque ridicule depuis qu'il n'avait plus de puissance. Par là, sa clémence même fut insultante : on regarda qu'il ne pardonnait pas, mais qu'il dédaignait de punir. Il porta le mépris jusqu'à faire lui-même les sénatus-consultes : il les souscrivait du nom des premiers sénateurs qui lui venaient dans l'esprit. « J'apprends quelquefois, dit Cicéron [2], qu'un sénatus-consulte passé à mon avis a été porté en Syrie et en Arménie avant que j'aie su qu'il ait été fait, et plusieurs princes m'ont écrit des lettres de remerciements sur ce que j'avais été d'avis qu'on leur donnât le titre de *rois*, que non seulement je ne savais pas être rois, mais même qu'ils fussent au Monde. »

On peut voir dans les lettres de quelques grands hommes de ce temps-là, qu'on a mises sous le nom de Cicéron parce que la plupart sont de lui [3], l'abattement

---

1. Il cassa les tribuns du Peuple.
2. *Lett. famil.*, liv. IX.
3. Voyez les lettres de Cicéron et de Serv. Sulpit.

et le désespoir des premiers hommes de la République
à cette révolution subite, qui les priva de leurs honneurs
et de leurs occupations mêmes, lorsque, le Sénat étant
sans fonctions, ce crédit qu'ils avaient eu par toute la
Terre, ils ne purent plus l'espérer que dans le cabinet
d'un seul. Et cela se voit bien mieux dans ces lettres
que dans les discours des historiens : elles sont le chef-
d'œuvre de la naïveté de gens unis par une douleur
commune et d'un siècle où la fausse politesse n'avait
pas mis le mensonge partout; enfin, on n'y voit point,
comme dans la plupart de nos lettres modernes, des
gens qui veulent se tromper, mais des amis malheureux
qui cherchent à se tout dire.

Il était bien difficile que César pût défendre sa vie :
la plupart des conjurés étaient de son parti ou avaient
été par lui comblés de bienfaits [1]. Et la raison en est
bien naturelle : ils avaient trouvé de grands avantages
dans sa victoire; mais plus leur fortune devenait
meilleure, plus ils commençaient à avoir part au
malheur commun [2] : car, à un homme qui n'a rien,
il importe assez peu, à certains égards, en quel gouvernement il vive.

De plus, il y avait un certain droit des gens, une
opinion établie dans toutes les républiques de Grèce
et d'Italie, qui faisait regarder comme un homme
vertueux l'assassin de celui qui avait usurpé la souveraine puissance. A Rome, surtout depuis l'expulsion
des Rois, la loi était précise, les exemples reçus : la
République armait le bras de chaque citoyen, le
faisait magistrat pour le moment, et l'avouait pour sa
défense.

Brutus ose bien dire à ses amis que, quand son père
reviendrait sur la Terre, il le tuerait tout de même [3];
et, quoique, par la continuation de la tyrannie, cet

1. Decimus Brutus, Caïus Casca, Trebonius, Tullius Cimber,
Minutius Basillus, étaient amis de César. (Appian, *De Bello
civili*, liv. II.)
2. Je ne parle pas des satellites d'un tyran, qui seraient perdus
après lui, mais de ses compagnons dans un gouvernement
libre.
3. Lettres de Brutus dans le recueil de celles de Cicéron.

esprit de liberté se perdît peu à peu, les conjurations, au commencement du règne d'Auguste, renaissaient toujours.

C'était un amour dominant pour la Patrie qui, sortant des règles ordinaires des crimes et des vertus, n'écoutait que lui seul et ne voyait ni citoyen, ni ami, ni bienfaiteur, ni père : la vertu semblait s'oublier pour se surpasser elle-même, et, l'action qu'on ne pouvait d'abord approuver parce qu'elle était atroce, elle la faisait admirer comme divine.

En effet, le crime de César, qui vivait dans un gouvernement libre, n'était-il pas hors d'état d'être puni autrement que par un assassinat ? Et demander pourquoi on ne l'avait pas poursuivi par la force ouverte ou par les lois, n'était-ce pas demander raison de ses crimes ?

CHAPITRE XII

DE L'ÉTAT DE ROME APRÈS LA MORT DE CÉSAR

Il était tellement impossible que la République pût se rétablir qu'il arriva ce qu'on n'avait jamais encore vu, qu'il n'y eut plus de tyran, et qu'il n'y eut pas de liberté : car les causes qui l'avaient détruite subsistaient toujours.

Les conjurés n'avaient formé de plan que pour la conjuration et n'en avaient point fait pour la soutenir.

Après l'action faite, ils se retirèrent au Capitole, le Sénat ne s'assembla pas, et, le lendemain, Lepidus, qui cherchait le trouble, se saisit, avec des gens armés, de la Place romaine.

Les soldats vétérans, qui craignaient qu'on ne répétât les dons immenses qu'ils avaient reçus, entrèrent dans Rome. Cela fit que le Sénat approuva tous les actes de César, et que, conciliant les extrêmes, il accorda une amnistie aux conjurés; ce qui produisit une fausse paix.

César, avant sa mort, se préparant à son expédition contre les Parthes, avait nommé des magistrats pour plusieurs années, afin qu'il eût des gens à lui qui maintinssent, dans son absence, la tranquillité de son gouvernement. Ainsi, après sa mort, ceux de son parti se sentirent des ressources pour longtemps.

Comme le Sénat avait approuvé tous les actes de César sans restriction, et que l'exécution en fut donnée aux consuls, Antoine, qui l'était, se saisit du livre des raisons de César, gagna son secrétaire, et y fit écrire tout ce qu'il voulut, de manière que le Dictateur régnait plus impérieusement que pendant sa vie : car ce qu'il n'aurait jamais fait, Antoine le faisait; l'argent qu'il n'aurait jamais donné, Antoine le donnait; et tout homme qui avait de mauvaises intentions contre la République trouvait soudain une récompense dans les livres de César.

Par un nouveau malheur, César avait amassé pour son expédition des sommes immenses, qu'il avait mises dans le Temple d'Ops. Antoine, avec son livre, en disposa à sa fantaisie.

Les conjurés avaient d'abord résolu de jeter le corps de César dans le Tibre [1]; ils n'y auraient trouvé nul obstacle : car, dans ces moments d'étonnement qui suivent une action inopinée, il est facile de faire tout ce qu'on peut oser. Cela ne fut point exécuté, et voici ce qui en arriva.

Le Sénat se crut obligé de permettre qu'on fît les obsèques de César, et effectivement, dès qu'il ne l'avait pas déclaré *tyran*, il ne pouvait lui refuser la sépulture. Or c'était une coutume des Romains, si vantée par Polybe, de porter dans les funérailles les images des ancêtres et de faire ensuite l'oraison funèbre du défunt. Antoine, qui la fit, montra au Peuple la robe ensanglantée de César, lui lut son testament, où il lui faisait de grandes largesses, et l'agita au point qu'il mit le feu aux maisons des conjurés.

Nous avons un aveu de Cicéron, qui gouverna le Sénat dans toute cette affaire, qu'il aurait mieux valu agir avec vigueur et s'exposer à périr, et que même on n'aurait point péri [2]. Mais il se disculpe sur ce que, quand le Sénat fut assemblé, il n'était plus temps, et ceux qui savent le prix d'un moment dans des affaires où le Peuple a tant de part n'en seront pas étonnés.

Voici un autre accident : pendant qu'on faisait des jeux en l'honneur de César, une comète à longue chevelure parut pendant sept jours; le Peuple crut que son âme avait été reçue dans le Ciel.

---

1. Cela n'aurait pas été sans exemple : après que Tiberius Gracchus eut été tué, Lucretius, édile, qui fut depuis appelé *Vespillo*, jeta son corps dans le Tibre. (Aurel. Vict., *De Viris illust.*)
2. *Lettres à Atticus*, liv. XIV, lett. 16.

C'était bien une coutume des peuples de Grèce et d'Asie de bâtir des temples aux rois et même aux proconsuls qui les avaient gouvernés [1] : on leur laissait faire ces choses comme le témoignage le plus fort qu'ils pussent donner de leur servitude; les Romains même pouvaient, dans des laraires ou des temples particuliers, rendre des honneurs divins à leurs ancêtres. Mais je ne vois pas que, depuis Romulus jusqu'à César, aucun Romain ait été mis au nombre des Divinités publiques [2].

Le gouvernement de la Macédoine était échu à Antoine; il voulut, au lieu de celui-là, avoir celui des Gaules; on voit bien par quel motif. Decimus Brutus, qui avait la Gaule Cisalpine, ayant refusé de la lui remettre, il voulut l'en chasser. Cela produisit une guerre civile, dans laquelle le Sénat déclara Antoine *ennemi de la Patrie*.

Cicéron, pour perdre Antoine, son ennemi particulier, avait pris le mauvais parti de travailler à l'élévation d'Octave, et, au lieu de chercher à faire oublier au Peuple César, il le lui avait remis devant les yeux.

Octave se conduisit avec Cicéron en homme habile : il le flatta, le loua, le consulta, et employa tous ces artifices dont la vanité ne se défie jamais.

Ce qui gâte presque toutes les affaires, c'est qu'ordinairement ceux qui les entreprennent, outre la réussite principale, cherchent encore de certains petits succès particuliers, qui flattent leur amour-propre et les rendent contents d'eux.

Je crois que, si Caton s'était réservé pour la République, il aurait donné aux choses tout un autre tour. Cicéron, avec des parties admirables pour un second rôle, était incapable du premier : il avait un beau génie, mais une âme souvent commune, L'accessoire chez Cicéron, c'était la vertu; chez Caton, c'était la

1. Voyez là-dessus les *Lettres de Cicéron à Atticus*, liv. V, et la remarque de M. l'abbé de Mongaut.
2. Dion dit que les Triumvirs, qui espéraient tous d'avoir quelque jour la place de César, firent tout ce qu'ils purent pour augmenter les honneurs qu'on lui rendait (liv. XLVII).

gloire [1]. Cicéron se voyait toujours le premier; Caton s'oubliait toujours. Celui-ci voulait sauver la République pour elle-même; celui-là, pour s'en vanter.

Je pourrais continuer le parallèle en disant que, quand Caton prévoyait, Cicéron craignait; que, là où Caton espérait, Cicéron se confiait; que le premier voyait toujours les choses de sang-froid; l'autre, au travers de cent petites passions.

Antoine fut défait à Modène; les deux consuls Hirtius et Pansa y périrent. Le Sénat, qui se crut au-dessus de ses affaires, songea à abaisser Octave, qui, de son côté, cessa d'agir contre Antoine, mena son armée à Rome, et se fit déclarer consul.

Voilà comment Cicéron, qui se vantait que sa robe avait détruit les armées d'Antoine, donna à la République un ennemi plus dangereux, parce que son nom était plus cher et ses droits, en apparence, plus légitimes [2].

Antoine, défait, s'était réfugié dans la Gaule Transalpine, où il avait été reçu par Lepidus. Ces deux hommes s'unirent avec Octave, et ils se donnèrent l'un à l'autre la vie de leurs amis et de leurs ennemis [3]. Lépide resta à Rome; les deux autres allèrent chercher Brutus et Cassius, et ils les trouvèrent dans ces lieux où l'on combattit trois fois pour l'empire du Monde.

Brutus et Cassius se tuèrent avec une précipitation qui n'est pas excusable, et l'on ne peut lire cet endroit de leur vie sans avoir pitié de la République, qui fut ainsi abandonnée. Caton s'était donné la mort à la fin de la tragédie; ceux-ci la commencèrent, en quelque façon, par leur mort.

On peut donner plusieurs causes de cette coutume si générale des Romains de se donner la mort : le progrès de la secte stoïque, qui y encourageait; l'établissement des triomphes et de l'esclavage, qui firent penser à plusieurs grands hommes qu'il ne fallait pas

---

1. *Esse quam videri bonus malebat; itaque quominus gloriam petebat, co magis illam assequebatur.* (Salluste, *De Bello Catil.*)

2. Il était héritier de César et son fils par adoption.

3. Leur cruauté fut si insensée qu'ils ordonnèrent que chacun eût à se réjouir des proscriptions sous peine de la vie. Voyez Dion.

survivre à une défaite; l'avantage que les accusés avaient de se donner la mort plutôt que de subir un jugement par lequel leur mémoire devait être flétrie et leurs biens confisqués [1]; une espèce de point d'honneur, peut-être plus raisonnable que celui qui nous porte aujourd'hui à égorger notre ami pour un geste ou une parole; enfin, une grande commodité pour l'héroïsme : chacun faisant finir la pièce qu'il jouait dans le Monde, à l'endroit où il voulait.

On pourrait ajouter une grande facilité dans l'exécution : l'âme, tout occupée de l'action qu'elle va faire, du motif qui la détermine, du péril qu'elle va éviter, ne voit point proprement la mort, parce que la passion fait sentir, et jamais voir.

L'amour-propre, l'amour de notre conservation se transforme en tant de manières et agit par des principes si contraires qu'il nous porte à sacrifier notre être pour l'amour de notre être, et tel est le cas que nous faisons de nous-mêmes que nous consentons à cesser de vivre par un instinct naturel et obscur qui fait que nous nous aimons plus que notre vie même.

1. *Eorum qui de se statuebant humabantur corpora, manebant testamenta : pretium festinandi.* (Tacite, *Annal.*, liv. VI.)

CHAPITRE XIII

AUGUSTE

Sextus Pompée tenait la Sicile et la Sardaigne; il était maître de la mer, et il avait avec lui une infinité de fugitifs et de proscrits qui combattaient pour leurs dernières espérances. Octave lui fit deux guerres très laborieuses, et, après bien des mauvais succès, il le vainquit par l'habileté d'Agrippa.

Les conjurés avaient presque tous fini malheureusement leur vie, et il était bien naturel que des gens qui étaient à la tête d'un parti abattu tant de fois, dans des guerres où l'on ne se faisait aucun quartier, eussent péri de mort violente. De là, cependant, on tira la conséquence d'une vengeance céleste qui punissait les meurtriers de César et proscrivait leur cause.

Octave gagna les soldats de Lepidus et le dépouilla de la puissance du triumvirat; il lui envia même la consolation de mener une vie obscure et le força de se trouver comme homme privé dans les assemblées du Peuple.

On est bien aise de voir l'humiliation de ce Lepidus : c'était le plus méchant citoyen qui fût dans la République, toujours le premier à commencer les troubles, formant sans cesse des projets funestes, où il était obligé d'associer de plus habiles gens que lui. Un auteur moderne s'est plu à en faire l'éloge [1] et cite Antoine, qui, dans une de ses lettres, lui donne la qualité d'honnête homme. Mais un honnête homme pour Antoine ne devait guère l'être pour les autres.

1. L'abbé de Saint-Réal.

Je crois qu'Octave est le seul de tous les capitaines romains qui ait gagné l'affection des soldats en leur donnant sans cesse des marques d'une lâcheté naturelle. Dans ces temps-là, les soldats faisaient plus de cas de la libéralité de leur général que de son courage. Peut-être même que ce fut un bonheur pour lui de n'avoir point eu cette valeur qui peut donner l'empire, et que cela même l'y porta : on le craignit moins. Il n'est pas impossible que les choses qui le déshonorèrent le plus aient été celles qui le servirent le mieux : s'il avait d'abord montré une grande âme, tout le monde se serait méfié de lui, et, s'il eût eu de la hardiesse, il n'aurait pas donné à Antoine le temps de faire toutes les extravagances qui le perdirent.

Antoine, se préparant contre Octave, jura à ses soldats que, deux mois après sa victoire, il rétablirait la République; ce qui fait bien voir que les soldats mêmes étaient jaloux de la liberté de leur patrie, quoiqu'ils la détruisissent sans cesse, n'y ayant rien de si aveugle qu'une armée.

La bataille d'Actium se donna. Cléopâtre fuit et entraîna Antoine avec elle. Il est certain que, dans la suite, elle le trahit [1]; peut-être que, par cet esprit de coquetterie inconcevable des femmes, elle avait formé le dessein de mettre encore à ses pieds un troisième maître du Monde.

Une femme à qui Antoine avait sacrifié le Monde entier le trahit; tant de capitaines et tant de rois qu'il avait agrandis ou faits lui manquèrent; et, comme si la générosité avait été liée à la servitude, une troupe de gladiateurs lui conserva une fidélité héroïque. Comblez un homme de bienfaits, la première idée que vous lui inspirez, c'est de chercher les moyens de les conserver : ce sont de nouveaux intérêts que vous lui donnez à défendre.

Ce qu'il y a de surprenant dans ces guerres, c'est qu'une bataille décidait presque toujours l'affaire, et qu'une défaite ne se réparait pas.

Les soldats romains n'avaient point proprement

1. Voyez Dion, liv. I.

d'esprit de parti : ils ne combattaient point pour une
certaine chose, mais pour une certaine personne; ils
ne connaissaient que leur chef, qui les engageait par
des espérances immenses; mais, le chef battu n'étant
plus en état de remplir ses promesses, ils se tournaient
d'un autre côté. Les provinces n'entraient point non
plus sincèrement dans la querelle : car il leur importait fort peu qui eût le dessus, du Sénat ou du Peuple.
Ainsi, sitôt qu'un des chefs était battu, elles se donnaient à l'autre [1] : car il fallait que chaque ville songeât
à se justifier devant le vainqueur, qui, ayant des promesses immenses à tenir aux soldats, devait leur sacrifier les pays les plus coupables.

Nous avons eu en France deux sortes de guerres
civiles : les unes avaient pour prétexte la Religion, et
elles ont duré, parce que le motif subsistait après la
victoire; les autres n'avaient pas proprement de motif,
mais étaient excitées par la légèreté ou l'ambition de
quelques grands, et elles étaient d'abord étouffées.

Auguste (c'est le nom que la flatterie donna à Octave)
établit l'ordre, c'est-à-dire une servitude durable : car,
dans un Etat libre où l'on vient d'usurper la souveraineté, on appelle *règle* tout ce qui peut fonder l'autorité sans bornes d'un seul, et on nomme *trouble,
dissension, mauvais gouvernement*, tout ce qui peut
maintenir l'honnête liberté des sujets.

Tous les gens qui avaient eu des projets ambitieux
avaient travaillé à mettre une espèce d'anarchie dans
la République. Pompée, Crassus et César y réussirent
à merveille : ils établirent une impunité de tous les
crimes publics; tout ce qui pouvait arrêter la corruption des mœurs, tout ce qui pouvait faire une bonne
police, ils l'abolirent; et, comme les bons législateurs
cherchent à rendre leurs concitoyens meilleurs, ceux-ci
travaillaient à les rendre pires. Ils introduisirent donc
la coutume de corrompre le Peuple à prix d'argent,
et, quand on était accusé de brigues, on corrompait

1. Il n'y avait point de garnisons dans les villes pour les
contenir, et les Romains n'avaient eu besoin d'assurer leur
empire que par des armées ou des colonies.

aussi les juges [1]. Ils firent troubler les élections par toutes sortes de violences, et, quand on était mis en justice, on intimidait encore les juges. L'autorité même du Peuple était anéantie : témoin Gabinius, qui, après avoir rétabli, malgré le Peuple, Ptolomée à main armée, vint froidement demander le triomphe [2].

Ces premiers hommes de la République cherchaient à dégoûter le Peuple de son pouvoir et à devenir nécessaires en rendant extrêmes les inconvénients du gouvernement républicain. Mais, lorsque Auguste fut une fois le maître, la politique le fit travailler à rétablir l'ordre, pour faire sentir le bonheur du gouvernement d'un seul.

Lorsque Auguste avait les armes à la main, il craignait les révoltes des soldats, et non pas les conjurations des citoyens; c'est pour cela qu'il ménagea les premiers et fut si cruel aux autres. Lorsqu'il fut en paix, il craignit les conjurations, et, ayant toujours devant les yeux le destin de César, pour éviter son sort, il songea à s'éloigner de sa conduite. Voilà la clef de toute la vie d'Auguste. Il porta dans le Sénat une cuirasse sous sa robe, il refusa le nom de *Dictateur*, et, au lieu que César disait insolemment que la République n'était rien, et que ses paroles étaient des lois, Auguste ne parla que de la dignité du Sénat et de son respect pour la République. Il songea donc à établir le gouvernement le plus capable de plaire qui fût possible sans choquer ses intérêts, et il en fit un aristocratique par rapport au civil et monarchique par rapport au militaire : gouvernement ambigu, qui, n'étant pas soutenu par ses propres forces, ne pouvait subsister que tandis qu'il plairait au Monarque, et était entièrement monarchique, par conséquent.

On a mis en question si Auguste avait eu véritablement le dessein de se démettre de l'empire. Mais qui ne voit que, s'il l'eût voulu, il était impossible qu'il

1. Cela se voit bien dans les *Lettres de Cicéron à Atticus*.
2. César fit la guerre aux Gaulois, et Crassus, aux Parthes, sans qu'il y eût eu aucune délibération du Sénat ni aucun décret du Peuple. Voyez Dion.

n'y eût réussi ? Ce qui fait voir que c'était un jeu, c'est qu'il demanda tous les dix ans qu'on le soulageât de ce poids, et qu'il le porta toujours. C'étaient de petites finesses pour se faire encore donner ce qu'il ne croyait pas avoir assez acquis. Je me détermine par toute la vie d'Auguste, et, quoique les hommes soient fort bizarres, cependant il arrive très rarement qu'ils renoncent dans un moment à ce à quoi ils ont réfléchi pendant toute leur vie. Toutes les actions d'Auguste, tous ses règlements, tendaient visiblement à l'établissement de la monarchie. Sylla se défait de la dictature; mais, dans toute la vie de Sylla, au milieu de ses violences, on voit un esprit républicain : tous ses règlements, quoique tyranniquement exécutés, tendent toujours à une certaine forme de république. Sylla, homme emporté, mène violemment les Romains à la liberté; Auguste, rusé tyran [1], les conduit doucement à la servitude. Pendant que, sous Sylla, la République reprenait des forces, tout le monde criait à la tyrannie, et, pendant que, sous Auguste, la tyrannie se fortifiait, on ne parlait que de liberté.

La coutume des triomphes, qui avaient tant contribué à la grandeur de Rome, se perdit sous Auguste, ou plutôt cet honneur devint un privilège de la souveraineté [2]. La plupart des choses qui arrivèrent sous les Empereurs avaient leur origine dans la République [3], et il faut les rapprocher : celui-là seul avait droit de demander le triomphe sous les auspices duquel la guerre s'était faite [4]; or elle se faisait toujours sous les

1. J'emploie ici ce mot dans le sens des Grecs et des Romains, qui donnaient ce nom à tous ceux qui avaient renversé la démocratie.

2. On ne donna plus aux particuliers que les ornements triomphaux. (Dion, *in Aug.*).

3. Les Romains ayant changé de gouvernement sans avoir été envahis, les mêmes coutumes restèrent après le changement du Gouvernement, dont la forme même resta à peu près.

4. Dion (*in Aug.*, liv. LIV) dit qu'Agrippa négligea par modestie de rendre compte au Sénat de son expédition contre les peuples du Bosphore et refusa même le triomphe, et que, depuis lui, personne de ses pareils ne triompha; mais c'était une grâce qu'Auguste voulait faire à Agrippa, et qu'Antoine ne fit point à Ventidius la première fois qu'il vainquit les Parthes.

auspices du chef et, par conséquent, de l'Empereur, qui était le chef de toutes les armées.

Comme, du temps de la République, on eut pour principe de faire continuellement la guerre, sous les Empereurs, la maxime fut d'entretenir la paix : les victoires ne furent regardées que comme des sujets d'inquiétude, avec des armées qui pouvaient mettre leurs services à trop haut prix.

Ceux qui eurent quelque commandement craignirent d'entreprendre de trop grandes choses; il fallut modérer sa gloire, de façon qu'elle ne réveillât que l'attention, et non pas la jalousie du Prince, et ne point paraître devant lui avec un éclat que ses yeux ne pouvaient souffrir.

Auguste fut fort retenu à accorder le droit de bourgeoisie romaine [1]; il fit des lois [2] pour empêcher qu'on n'affranchît trop d'esclaves [3]. Il recommanda par son testament que l'on gardât ces deux maximes, et qu'on ne cherchât point à étendre l'Empire par de nouvelles guerres.

Ces trois choses étaient très bien liées ensemble : dès qu'il n'y avait plus de guerres, il ne fallait plus de bourgeoisie nouvelle, ni d'affranchissements.

Lorsque Rome avait des guerres continuelles, il fallait qu'elle réparât continuellement ses habitants. Dans les commencements, on y mena une partie du peuple de la ville vaincue; dans la suite, plusieurs citoyens des villes voisines y vinrent pour avoir part au droit de suffrage, et ils s'y établirent en si grand nombre que, sur les plaintes des alliés, on fut souvent obligé de les leur renvoyer; enfin, on y arriva en foule des provinces. Les lois favorisèrent les mariages et même les rendirent nécessaires. Rome fit, dans toutes ses guerres, un nombre d'esclaves prodigieux, et, lorsque ses citoyens furent comblés de richesses, ils en achetèrent de toutes parts; mais ils les affranchirent sans nombre [4], par générosité, par avarice, par fai-

1. Suétone, *in Aug.*
2. Suétone, *Vie d'Auguste.* Voyez les *Institutes*, liv. I.
3. Dion, *in Aug.*
4. Denys d'Halicarnasse, liv. IV.

blesse : les uns voulaient récompenser des esclaves
fidèles; les autres voulaient recevoir en leur nom le blé
que la République distribuait aux pauvres citoyens;
d'autres, enfin, désiraient d'avoir à leur pompe funèbre
beaucoup de gens qui la suivissent avec un chapeau de
fleurs. Le Peuple fut presque composé d'affranchis [1];
de façon que ces maîtres du Monde, non seulement
dans les commencements, mais dans tous les temps,
furent, pour la plupart, d'origine servile.

Le nombre du petit peuple, presque tout composé
d'affranchis ou de fils d'affranchis, devenant incommode, on en fit des colonies, par le moyen desquelles
on s'assura de la fidélité des provinces. C'était une
circulation des hommes de tout l'Univers : Rome les
recevait esclaves et les renvoyait Romains.

Sous prétexte de quelques tumultes arrivés dans les
élections, Auguste mit dans la Ville un gouverneur et
une garnison; il rendit les corps des légions éternels,
les plaça sur les frontières, et établit des fonds particuliers pour les payer; enfin, il ordonna que les vétérans recevraient leur récompense en argent, et non pas
en terres [2].

Il résultait plusieurs mauvais effets de cette distribution des terres que l'on faisait depuis Sylla : la pro-
priété des biens des citoyens était rendue incertaine.
Si on ne menait pas dans un même lieu les soldats
d'une cohorte, ils se dégoûtaient de leur établissement,
laissaient les terres incultes, et devenaient de dangereux citoyens [3]; mais, si on les distribuait par légions,
les ambitieux pouvaient trouver, contre la République,
des armées dans un moment.

Auguste fit des établissements fixes pour la marine.
Comme, avant lui, les Romains n'avaient point eu des
corps perpétuels de troupes de terre, ils n'en avaient
point non plus de troupes de mer. Les flottes d'Auguste

1. Voyez Tacite (*Annal.*, liv. XIII) : *Late fusum id corpus, etc.*
2. Il régla que les soldats prétoriens auraient cinq mille
drachmes : deux, après seize ans de services, et les autres trois mille
drachmes après vingt ans. (Dion, *in Aug.*)
3. Voyez Tacite (*Annal.*, liv. XIV) sur les soldats menés à
Tarente et à Antium.

eurent pour objet principal la sûreté des convois et la communication des diverses parties de l'Empire : car, d'ailleurs, les Romains étaient les maîtres de toute la Méditerranée. On ne naviguait dans ces temps-là que dans cette mer, et ils n'avaient aucun ennemi à craindre.

Dion remarque très bien que, depuis les Empereurs, il fut plus difficile d'écrire l'histoire : tout devint secret; toutes les dépêches des provinces furent portées dans le cabinet des Empereurs; on ne sut plus que ce que la folie et la hardiesse des tyrans ne voulurent point cacher, ou ce que les historiens conjecturèrent.

CHAPITRE XIV

TIBÈRE

Comme on voit un fleuve miner lentement et sans bruit les digues qu'on lui oppose, et, enfin, les renverser dans un moment et couvrir les campagnes qu'elles conservaient, ainsi la puissance souveraine sous Auguste agit insensiblement et renversa sous Tibère avec violence.

Il y avait une *Loi de majesté* contre ceux qui commettaient quelque attentat contre le peuple romain. Tibère se saisit de cette loi et l'appliqua, non pas aux cas pour lesquels elle avait été faite, mais à tout ce qui put servir sa haine ou ses défiances. Ce n'étaient pas seulement les actions qui tombaient dans le cas de cette loi, mais des paroles, des signes et des pensées même : car ce qui se dit dans ces épanchements de cœur que la conversation produit entre deux amis ne peut être regardé que comme des pensées. Il n'y eut donc plus de liberté dans les festins, de confiance dans les parentés, de fidélité dans les esclaves; la dissimulation et la tristesse du Prince se communiquant partout, l'amitié fut regardée comme un écueil, l'ingénuité comme une imprudence, la vertu comme une affectation qui pouvait rappeler dans l'esprit des peuples le bonheur des temps précédents.

Il n'y a point de plus cruelle tyrannie que celle que l'on exerce à l'ombre des lois et avec les couleurs de la justice, lorsqu'on va, pour ainsi dire, noyer des malheureux sur la planche même sur laquelle ils s'étaient sauvés.

Et, comme il n'est jamais arrivé qu'un tyran ait

manqué d'instruments de sa tyrannie, Tibère trouva toujours des juges prêts à condamner autant de gens qu'il en put soupçonner. Du temps de la République, le Sénat, qui ne jugeait point en corps les affaires des particuliers, connaissait, par une délégation du Peuple, des crimes qu'on imputait aux alliés. Tibère lui renvoya de même le jugement de tout ce qu'il appelait *crime de lèse-majesté* contre lui. Ce corps tomba dans un état de bassesse qui ne peut s'exprimer : les sénateurs allaient au-devant de la servitude; sous la faveur de Séjan, les plus illustres d'entre eux faisaient le métier de délateurs.

Il me semble que je vois plusieurs causes de cet esprit de servitude qui régnait pour lors dans le Sénat. Après que César eut vaincu le parti de la République, les amis et les ennemis qu'il avait dans le Sénat concoururent également à ôter toutes les bornes que les lois avaient mises à sa puissance, et à lui déférer des honneurs excessifs : les uns cherchaient à lui plaire; les autres, à le rendre odieux. Dion nous dit que quelques-uns allèrent jusqu'à proposer qu'il lui fût permis de jouir de toutes les femmes qu'il lui plairait. Cela fit qu'il ne se défia point du Sénat, et qu'il y fut assassiné; mais cela fit aussi que, dans les règnes suivants, il n'y eut point de flatterie qui fût sans exemple, et qui pût révolter les esprits.

Avant que Rome fût gouvernée par un seul, les richesses des principaux Romains étaient immenses, quelles que fussent les voies qu'ils employaient pour les acquérir. Elles furent presque toutes ôtées sous les Empereurs : les sénateurs n'avaient plus ces grands clients qui les comblaient de biens; on ne pouvait guère rien prendre dans les provinces que pour César, surtout lorsque ses procurateurs, qui étaient à peu près comme sont aujourd'hui nos intendants, y furent établis. Cependant, quoique la source des richesses fût coupée, les dépenses subsistaient toujours, le train de vie était pris, et on ne pouvait plus le soutenir que par la faveur de l'Empereur.

Auguste avait ôté au Peuple la puissance de faire des lois et celle de juger les crimes publics; mais il lui

avait laissé ou, du moins, avait paru lui laisser celle
d'élire les magistrats. Tibère, qui craignait les assemblées d'un peuple si nombreux, lui ôta encore ce privilège et le donna au Sénat, c'est-à-dire à lui-même [1].
Or on ne saurait croire combien cette décadence du
pouvoir du Peuple avilit l'âme des Grands. Lorsque
le Peuple disposait des dignités, les magistrats qui les
briguaient faisaient bien des bassesses; mais elles
étaient jointes à une certaine magnificence qui les
cachait, soit qu'ils donnassent des jeux ou de certains
repas au Peuple, soit qu'ils lui distribuassent de l'argent
ou des grains. Quoique le motif fût bas, le moyen avait
quelque chose de noble, parce qu'il convient toujours
à un grand homme d'obtenir par des libéralités la
faveur du Peuple. Mais, lorsque le Peuple n'eut plus
rien à donner, et que le Prince, au nom du Sénat, disposa de tous les emplois, on les demanda et on les
obtint par des voies indignes : la flatterie, l'infamie,
les crimes, furent des arts nécessaires pour y parvenir.

Il ne paraît pourtant point que Tibère voulût avilir
le Sénat : il ne se plaignait de rien tant que du penchant
qui entraînait ce corps à la servitude; toute sa vie est
pleine de ses dégoûts là-dessus. Mais il était comme la
plupart des hommes : il voulait des choses contradic-
toires; sa politique générale n'était point d'accord avec
ses passions particulières. Il aurait désiré un sénat libre
et capable de faire respecter son gouvernement; mais
il voulait aussi un sénat qui satisfît à tous les moments
ses craintes, ses jalousies, ses haines; enfin, l'homme
d'Etat cédait continuellement à l'homme.

Nous avons dit que le Peuple avait autrefois obtenu
des Patriciens qu'il aurait des magistrats de son corps,
qui le défendraient contre les insultes et les injustices
qu'on pourrait lui faire. Afin qu'ils fussent en état
d'exercer ce pouvoir, on les déclara sacrés et invio-
lables, et on ordonna que quiconque maltraiterait un
tribun, de fait ou par parole, serait sur-le-champ puni
de mort. Or, les Empereurs étant revêtus de la puissance des tribuns, ils en obtinrent les privilèges, et

1. Tacite, *Annal.*, liv. I. Dion, liv. LIV.

c'est sur ce fondement qu'on fit mourir tant de gens, que les délateurs purent enfin faire leur métier tout à leur aise, et que l'accusation de lèse-majesté, ce crime, dit Pline, de ceux à qui on ne peut point imputer de crime, fut étendue à ce qu'on voulut.

Je crois pourtant que quelques-uns de ces titres d'accusation n'étaient pas si ridicules qu'ils nous paraissent aujourd'hui, et je ne puis penser que Tibère eût fait accuser un homme pour avoir vendu avec sa maison la statue de l'Empereur, que Domitien eût fait condamner à mort une femme pour s'être déshabillée devant son image, et un citoyen parce qu'il avait la description de toute la Terre peinte sur les murailles de sa chambre, si ces actions n'avaient réveillé dans l'esprit des Romains que l'idée qu'elles nous donnent à présent. Je crois qu'une partie de cela est fondée sur ce que, Rome ayant changé de gouvernement, ce qui ne nous paraît pas de conséquence pouvait l'être pour lors. J'en juge par ce que nous voyons aujourd'hui chez une nation qui ne peut pas être soupçonnée de tyrannie, où il est défendu de boire à la santé d'une certaine personne.

Je ne puis rien passer qui serve à faire connaître le génie du peuple romain. Il s'était si fort accoutumé à obéir et à faire toute sa félicité de la différence de ses maîtres qu'après la mort de Germanicus il donna des marques de deuil, de regret et de désespoir que l'on ne trouve plus parmi nous. Il faut voir les historiens décrire la désolation publique, si grande, si longue, si peu modérée [1]; et cela n'était point joué : car le corps entier du Peuple n'affecte, ne flatte, ni ne dissimule.

Le peuple romain, qui n'avait plus de part au gouvernement, composé presque d'affranchis ou de gens sans industrie, qui vivaient aux dépens du trésor public, ne sentait que son impuissance; il s'affligeait comme les enfants et les femmes, qui se désolent par le sentiment de leur faiblesse : il était mal; il plaça ses craintes et ses espérances sur la personne de Germanicus, et,

1. Voyez Tacite.

cet objet lui étant enlevé, il tomba dans le désespoir.

Il n'y a point de gens qui craignent si fort les malheurs que ceux que la misère de leur condition pourrait rassurer, et qui devraient dire avec Andromaque : « Plût à Dieu que je craignisse! » Il y a aujourd'hui à Naples cinquante mille hommes qui ne vivent que d'herbes et n'ont pour tout bien que la moitié d'un habit de toile. Ces gens-là, les plus malheureux de la Terre, tombent dans un abattement affreux à la moindre fumée du Vésuve; ils ont la sottise de craindre de devenir malheureux.

CHAPITRE XV

DES EMPEREURS, DEPUIS
CAIUS CALIGULA JUSQU'A ANTONIN

Caligula succéda à Tibère. On disait de lui qu'il n'y avait jamais eu un meilleur esclave, ni un plus méchant maître. Ces deux choses sont assez liées : car la même disposition d'esprit qui fait qu'on a été vivement frappé de la puissance illimitée de celui qui commande fait qu'on ne l'est pas moins lorsque l'on vient à commander soi-même.

Caligula rétablit les comices [1], que Tibère avait ôtés, et abolit ce crime arbitraire de lèse-majesté qu'il avait établi. Par où l'on peut juger que le commencement du règne des mauvais princes est souvent comme la fin de celui des bons; parce que, par un esprit de contradiction sur la conduite de ceux à qui ils succèdent, ils peuvent faire ce que les autres font par vertu, et c'est à cet esprit de contradiction que nous devons bien de bons règlements, et bien des mauvais aussi.

Qu'y gagna-t-on ? Caligula ôta les accusations des crimes de lèse-majesté, mais il faisait mourir militairement tous ceux qui lui déplaisaient, et ce n'était pas à quelques sénateurs qu'il en voulait : il tenait le glaive suspendu sur le Sénat, qu'il menaçait d'exterminer tout entier.

Cette épouvantable tyrannie des Empereurs venait de l'esprit général des Romains. Comme ils tombèrent tout à coup sous un gouvernement arbitraire, et qu'il n'y eut presque point d'intervalle chez eux entre com-

1. Il les ôta dans la suite.

mander et servir, ils ne furent point préparés à ce passage par des mœurs douces; l'humeur féroce resta; les citoyens furent traités comme ils avaient traité eux-mêmes les ennemis vaincus, et furent gouvernés sur le même plan. Sylla entrant dans Rome ne fut pas un autre homme que Sylla entrant dans Athènes : il exerça le même droit des gens. Pour les Etats qui n'ont été soumis qu'insensiblement, lorsque les lois leur manquent, ils sont encore gouvernés par les mœurs.

La vue continuelle des combats des gladiateurs rendait les Romains extrêmement féroces : on remarqua que Claude devint plus porté à répandre le sang à force de voir ces sortes de spectacles. L'exemple de cet empereur, qui était d'un naturel doux, et qui fit tant de cruautés, fait bien voir que l'éducation de son temps était différente de la nôtre.

Les Romains, accoutumés à se jouer de la Nature humaine dans la personne de leurs enfants [1] et de leurs esclaves, ne pouvaient guère connaître cette vertu que nous appelons *humanité*. D'où peut venir cette férocité que nous trouvons dans les habitants de nos colonies, que de cet usage continuel des châtiments sur une malheureuse partie du Genre humain ? Lorsque l'on est cruel dans l'état civil, que peut-on attendre de la douceur et de la justice naturelle ?

On est fatigué de voir dans l'histoire des Empereurs le nombre infini de gens qu'ils firent mourir pour confisquer leurs biens. Nous ne trouvons rien de semblable dans nos histoires modernes. Cela, comme nous venons de dire, doit être attribué à des mœurs plus douces et à une religion plus réprimante; et de plus, on n'a point à dépouiller les familles de ces sénateurs qui avaient ravagé le Monde. Nous tirons cet avantage de la médiocrité de nos fortunes, qu'elles sont plus sûres : nous ne valons pas la peine qu'on nous ravisse nos biens [2].

1. Voyez les lois romaines sur la puissance des pères et celle des mères.
2. Le duc de Bragance avait des biens immenses dans le Portugal. Lorsqu'il se révolta, on félicita le roi d'Espagne de la riche confiscation qu'il allait avoir.

Le peuple de Rome, ce que l'on appelait *Plebs*, ne haïssait pas les plus mauvais empereurs. Depuis qu'il avait perdu l'empire, et qu'il n'était plus occupé à la guerre, il était devenu le plus vil de tous les peuples; il regardait le commerce et les arts comme des choses propres aux seuls esclaves, et les distributions de blé qu'il recevait lui faisaient négliger les terres; on l'avait accoutumé aux jeux et aux spectacles. Quand il n'eut plus de tribuns à écouter ni de magistrats à élire, ces choses vaines lui devinrent nécessaires, et son oisiveté lui en augmenta le goût. Or Caligula, Néron, Commode, Caracalla, étaient regrettés du Peuple à cause de leur folie même : car ils aimaient avec fureur ce que le Peuple aimait, et contribuaient de tout leur pouvoir, et même de leur personne, à ses plaisirs; ils prodiguaient pour lui toutes les richesses de l'Empire, et, quand elles étaient épuisées, le Peuple voyant sans peine dépouiller toutes les grandes familles, il jouissait des fruits de la tyrannie, et il en jouissait purement : car il trouvait sa sûreté dans sa bassesse. De tels princes haïssaient naturellement les gens de bien : ils savaient qu'ils n'en étaient pas approuvés [1]. Indignés de la contradiction ou du silence d'un citoyen austère, enivrés des applaudissements de la populace, ils parvenaient à s'imaginer que leur gouvernement faisait la félicité publique, et qu'il n'y avait que des gens malintentionnés qui pussent le censurer.

Caligula était un vrai sophiste dans sa cruauté. Comme il descendait également d'Antoine et d'Au-

---

1. Les Grecs avaient des jeux où il était décent de combattre, comme il était glorieux d'y vaincre; les Romains n'avaient guère que des spectacles, et celui des infâmes gladiateurs leur était particulier. Or, qu'un grand personnage descendît lui-même sur l'arène ou montât sur le théâtre, la gravité romaine ne le souffrait pas. Comment un sénateur aurait-il pu s'y résoudre, lui à qui les lois défendaient de contracter aucune alliance avec des gens que les dégoûts ou les applaudissements mêmes du Peuple avaient flétris ? Il y parut pourtant des empereurs, et cette folie, qui montrait en eux le plus grand dérèglement du cœur, un mépris de ce qui était beau, de ce qui était honnête, de ce qui était bon, est toujours marquée chez les historiens avec le caractère de la tyrannie.

guste, il disait qu'il punirait les consuls s'ils célébraient le jour de réjouissance établi en mémoire de la victoire d'Actium, et qu'il les punirait s'ils ne le célébraient pas. Et, Drusille, à qui il accorda des honneurs divins, étant morte, c'était un crime de la pleurer, parce qu'elle était Déesse, et de ne la pas pleurer, parce qu'elle était sa sœur.

C'est ici qu'il faut se donner le spectacle des choses humaines. Qu'on voie dans l'histoire de Rome tant de guerres entreprises, tant de sang répandu, tant de peuples détruits, tant de grandes actions, tant de triomphes, tant de politique, de sagesse, de prudence, de constance, de courage! Ce projet d'envahir tout, si bien formé, si bien soutenu, si bien fini, à quoi aboutit-il, qu'à assouvir le bonheur de cinq ou six monstres? Quoi! ce Sénat n'avait fait évanouir tant de rois que pour tomber lui-même dans le plus bas esclavage de quelques-uns de ses plus indignes citoyens et s'exterminer par ses propres arrêts? On n'élève donc sa puissance que pour la voir mieux renversée? Les hommes ne travaillent à augmenter leur pouvoir que pour le voir tomber, contre eux-mêmes, dans de plus heureuses mains?

Caligula ayant été tué, le Sénat s'assembla pour établir une forme de gouvernement. Dans le temps qu'il délibérait, quelques soldats entrèrent dans le Palais pour piller. Ils trouvèrent, dans un lieu obscur, un homme tremblant de peur; c'était Claude : ils le saluèrent *Empereur*.

Claude acheva de perdre les anciens ordres en donnant à ses officiers le droit de rendre la justice [1]. Les guerres de Marius et de Sylla ne se faisaient principalement que pour savoir qui aurait ce droit, des

1. Auguste avait établi les procurateurs; mais ils n'avaient point de juridiction et, quand on ne leur obéissait pas, il fallait qu'ils recourussent à l'autorité du gouverneur de la province ou du préteur. Mais, sous Claude, ils eurent la juridiction ordinaire, comme lieutenants de la province; ils jugèrent encore des affaires fiscales; ce qui mit les fortunes de tout le monde entre leurs mains.

Sénateurs ou des Chevaliers[1]. Une fantaisie d'un imbécile l'ôta aux uns et aux autres : étrange succès d'une dispute qui avait mis en combustion tout l'Univers!

Il n'y a point d'autorité plus absolue que celle du prince qui succède à la république : car il se trouve avoir toute la puissance du Peuple, qui n'avait pu se limiter lui-même. Aussi voyons-nous aujourd'hui les rois de Danemark exercer le pouvoir le plus arbitraire qu'il y ait en Europe.

Le Peuple ne fut pas moins avili que le Sénat et les Chevaliers. Nous avons vu que, jusqu'au temps des Empereurs, il avait été si belliqueux que les armées qu'on levait dans la Ville se disciplinaient sur-le-champ et allaient droit à l'ennemi. Dans les guerres civiles de Vitellius et de Vespasien, Rome, en proie à tous les ambitieux et pleine de bourgeois timides, tremblait devant la première bande de soldats qui pouvait s'en approcher.

La condition des Empereurs n'était pas meilleure. Comme ce n'était pas une seule armée qui eût le droit ou la hardiesse d'en élire un, c'était assez que quelqu'un fût élu par une armée pour devenir désagréable aux autres, qui lui nommaient d'abord un compétiteur.

Ainsi, comme la grandeur de la République fut fatale au gouvernement républicain, la grandeur de l'Empire le fut à la vie des Empereurs. S'ils n'avaient eu qu'un pays médiocre à défendre, ils n'auraient eu qu'une principale armée, qui, les ayant une fois élus, aurait respecté l'ouvrage de ses mains.

Les soldats avaient été attachés à la famille de César, qui était garante de tous les avantages que leur aurait procurés la révolution. Le temps vint que les grandes familles de Rome furent toutes exterminées par celle de César, et que celle de César, dans la personne de Néron, périt elle-même. La puissance civile, qu'on avait sans cesse abattue, se trouva hors d'état de contrebalancer la militaire : chaque armée voulut faire un empereur.

1. Voyez Tacite, *Annal.*, liv. XII.

Comparons ici les temps. Lorsque Tibère commença à régner, quel parti ne tira-t-il pas du Sénat[1] ! Il apprit que les armées d'Illyrie et de Germanie s'étaient soulevées : il leur accorda quelques demandes, et il soutint que c'était au Sénat à juger des autres [2] ; il leur envoya des députés de ce corps. Ceux qui ont cessé de craindre le pouvoir peuvent encore respecter l'autorité. Quand on eut représenté aux soldats comment, dans une armée romaine, les enfants de l'Empereur et les envoyés du Sénat romain couraient risque de la vie [3], ils purent se repentir et aller jusqu'à se punir eux-mêmes [4]. Mais, quand le Sénat fut entièrement abattu, son exemple ne toucha personne. En vain Othon harangue-t-il ses soldats pour leur parler de la dignité du Sénat [5] ; en vain Vitellius envoie-t-il les principaux sénateurs pour faire sa paix avec Vespasien [6] : on ne rend point dans un moment aux ordres de l'Etat le respect qui leur a été ôté si longtemps. Les armées ne regardèrent ces députés que comme les plus lâches esclaves d'un maître qu'elles avaient déjà réprouvé.

C'était une ancienne coutume des Romains que celui qui triomphait distribuait quelques deniers à chaque soldat : c'était peu de chose [7] ; dans les guerres civiles, on augmenta ces dons [8]. On les faisait autrefois de l'argent pris sur les ennemis ; dans ces temps malheureux, on donna celui des citoyens, et les soldats voulaient un partage là où il n'y avait pas de butin.

1. Tacite, *Annal.*, liv I.
2. *Cætera Senatui servanda.* (Tacite, *Annal.*, liv. I.)
3. Voyez la harangue de Germanicus. (Tacite, *Annal.*, liv. I.)
4. *Gaudebat cædibus miles*, *quasi semet absolveret.* (Tacite, *Annal.*, liv. I.) On révoqua dans la suite les privilèges extorqués. (Tacite. *ibid.*)
5. Tacite, *Hist.*, liv. I.
6. Tacite, *Hist.*, liv. III.
7. Voyez dans Tite-Live les sommes distribuées dans divers triomphes. L'esprit des capitaines était de porter beaucoup d'argent dans le trésor public et d'en donner peu aux soldats.
8. Paul-Emile, dans un temps où la grandeur des conquêtes avait fait augmenter les libéralités, ne distribua que cent deniers à chaque soldat ; mais César en donna deux mille, et son exemple fut suivi par Antoine et Octave, par Brutus et Cassius. Voyez Dion et Appien.

Ces distributions n'avaient lieu qu'après une guerre; Néron les fit pendant la paix; les soldats s'y accoutumèrent, et ils frémirent contre Galba, qui leur disait avec courage qu'il ne savait pas les acheter, mais qu'il savait les choisir.

Galba, Othon [1], Vitellius, ne firent que passer. Vespasien fut élu comme eux par les soldats. Il ne songea, dans tout le cours de son règne, qu'à rétablir l'empire, qui avait été successivement occupé par six tyrans également cruels, presque tous furieux, souvent imbéciles et, pour comble de malheur, prodigues jusques à la folie.

Tite, qui lui succéda, fut les délices du peuple romain. Domitien fit voir un nouveau monstre, plus cruel ou, du moins, plus implacable que ceux qui l'avaient précédé, parce qu'il était plus timide.

Ses affranchis les plus chers et, à ce que quelques-uns ont dit, sa femme même, voyant qu'il était aussi dangereux dans ses amitiés que dans ses haines, et qu'il ne mettait aucunes bornes à ses méfiances ni à ses accusations, s'en défirent. Avant de faire le coup, ils jetèrent les yeux sur un successeur et choisirent Nerva, vénérable vieillard.

Nerva adopta Trajan, prince le plus accompli dont l'histoire ait jamais parlé. Ce fut un bonheur d'être né sous son règne : il n'y en eut point de si heureux ni de si glorieux pour le peuple romain. Grand homme d'Etat, grand capitaine, ayant un cœur bon, qui le portait au bien, un esprit éclairé, qui lui montrait le meilleur, une âme noble, grande, belle, avec toutes les vertus, n'étant extrême sur aucune, enfin, l'homme le plus propre à honorer la Nature humaine et représenter la divine.

Il exécuta le projet de César et fit avec succès la guerre aux Parthes. Tout autre aurait succombé dans une entreprise où les dangers étaient toujours présents, et les ressources, éloignées, où il fallait absolument vaincre, et où il n'était pas sûr de ne pas périr après avoir vaincu.

---

1. *Suscepere duo manipulares imperium populi romani transferendum, et transtulerunt.* (Tacite, liv. I.)

La difficulté consistait et dans la situation des deux empires et dans la manière de faire la guerre des deux peuples. Prenait-on le chemin de l'Arménie, vers les sources du Tigre et de l'Euphrate ? On trouvait un pays montueux et difficile, où l'on ne pouvait mener de convois, de façon que l'armée était demi-ruinée avant d'arriver en Médie [1]. Entrait-on plus bas vers le midi, par Nisibe ? On trouvait un désert affreux, qui séparait les deux empires. Voulait-on passer plus bas encore et aller par la Mésopotamie ? On traversait un pays en partie inculte, en partie submergé, et, le Tigre et l'Euphrate allant du nord au midi, on ne pouvait pénétrer dans le pays sans quitter ces fleuves, ni guère quitter ces fleuves sans périr.

Quant à la manière de faire la guerre des deux nations, la force des Romains consistait dans leur infanterie, la plus forte, la plus ferme et la mieux disciplinée du Monde.

Les Parthes n'avaient point d'infanterie, mais une cavalerie admirable. Ils combattaient de loin et hors de la portée des armes romaines; le javelot pouvait rarement les atteindre; leurs armes étaient l'arc et des flèches redoutables. Ils assiégeaient une armée plutôt qu'ils ne la combattaient. Inutilement poursuivis, parce que, chez eux, fuir c'était combattre, ils faisaient retirer les peuples à mesure qu'on approchait, et ne laissaient dans les places que les garnisons, et, lorsqu'on les avait prises, on était obligé de les détruire. Ils brûlaient avec art tout le pays autour de l'armée ennemie et lui ôtaient jusques à l'herbe même. Enfin, ils faisaient à peu près la guerre comme on la fait encore aujourd'hui sur les mêmes frontières.

D'ailleurs, les légions d'Illyrie et de Germanie, qu'on transportait dans cette guerre, n'y étaient pas propres [2] : les soldats, accoutumés à manger beaucoup dans leur pays, y périssaient presque tous.

Ainsi, ce qu'aucune nation n'avait pas encore fait,

1. Le pays ne fournissait pas d'assez grands arbres pour faire des machines pour assiéger les places. (Plutarque, *Vie d'Antoine*.)
2. Voyez Hérodien, *Vie d'Alexandre*.

d'éviter le joug des Romains, celle des Parthes le fit, non pas comme invincible, mais comme inaccessible.

Adrien abandonna les conquêtes de Trajan et borna l'Empire à l'Euphrate [1], et il est admirable qu'après tant de guerres les Romains n'eussent perdu que ce qu'ils avaient voulu quitter, comme la mer, qui n'est moins étendue que lorsqu'elle se retire d'elle-même.

La conduite d'Adrien causa beaucoup de murmures : on lisait dans les livres sacrés des Romains [2] que, lorsque Tarquin voulut bâtir le Capitole, il trouva que la place la plus convenable était occupée par les statues de beaucoup d'autres Divinités. Il s'enquit, par la science qu'il avait dans les augures, si elles voudraient céder leur place à Jupiter. Toutes y consentirent, à la réserve de Mars, de la Jeunesse et du Dieu Terme. Là-dessus s'établirent trois opinions religieuses : que le peuple de Mars ne céderait à personne le lieu qu'il occupait; que la jeunesse romaine ne serait point surmontée; et qu'enfin le Dieu Terme des Romains ne reculerait jamais : ce qui arriva pourtant sous Adrien.

---

1. Voyez Eutrope. La Dacie ne fut abandonnée que sous Aurélien.
2. S. Aug., *De la Cité de Dieu*, liv. IV, chap. XXIII et XXIX.

CHAPITRE XVI

DE L'ÉTAT DE L'EMPIRE
DEPUIS ANTONIN JUSQU'A PROBUS

Dans ces temps-là, la secte des Stoïciens s'étendait et s'accréditait dans l'Empire. Il semblait que la Nature humaine eût fait un effort pour produire d'elle-même cette secte admirable, qui était comme ces plantes que la Terre fait naître dans des lieux que le Ciel n'a jamais vus.

Les Romains lui durent leurs meilleurs empereurs. Rien n'est capable de faire oublier le premier Antonin que Marc-Aurèle, qu'il adopta. On sent en soi-même un plaisir secret lorsqu'on parle de cet empereur; on ne peut lire sa vie sans une espèce d'attendrissement; tel est l'effet qu'elle produit qu'on a meilleure opinion de soi-même, parce qu'on a meilleure opinion des hommes.

La sagesse de Nerva, la gloire de Trajan, la valeur d'Adrien, la vertu des deux Antonins, se firent respecter des soldats; mais, lorsque de nouveaux monstres prirent leur place, l'abus du gouvernement militaire parut dans tout son excès, et les soldats qui avaient vendu l'empire assassinèrent les Empereurs pour en avoir un nouveau prix.

On dit qu'il y a un prince dans le Monde qui travaille depuis quinze ans à abolir dans ses Etats le gouvernement civil pour y établir le gouvernement militaire. Je ne veux point faire des réflexions odieuses sur ce dessein; je dirai seulement que, par la nature des choses, deux cents gardes peuvent mettre la vie d'un prince en sûreté, et non pas quatre-vingt mille;

outre qu'il est plus dangereux d'opprimer un peuple armé qu'un autre qui ne l'est pas.

Commode succéda à Marc-Aurèle, son père. C'était un monstre, qui suivait toutes ses passions et toutes celles de ses ministres et de ses courtisans. Ceux qui en délivrèrent le Monde mirent en sa place Pertinax, vénérable vieillard, que les soldats prétoriens massacrèrent d'abord.

Ils mirent l'empire à l'enchère, et Didius Julien l'emporta par ses promesses. Cela souleva tout le monde : car, quoique l'empire eût été souvent acheté, il n'avait pas encore été marchandé. Pescennius Niger, Sévère et Albin furent salués *Empereurs*, et Julien, n'ayant pu payer les sommes immenses qu'il avait promises, fut abandonné par ses soldats.

Sévère défit Niger et Albin. Il avait de grandes qualités; mais la douceur, cette première vertu des princes, lui manquait.

La puissance des Empereurs pouvait plus aisément paraître tyrannique que celle des princes de nos jours. Comme leur dignité était un assemblage de toutes les magistratures romaines; que, dictateurs sous le nom d'*empereurs*, tribuns du Peuple, proconsuls, censeurs, grands pontifes et, quand ils voulaient, consuls, ils exerçaient souvent la justice distributive : ils pouvaient aisément faire soupçonner que, ceux qu'ils avaient condamnés, ils les avaient opprimés, le Peuple jugeant ordinairement de l'abus de la puissance par la grandeur de la puissance; au lieu que les rois d'Europe, législateurs et non pas exécuteurs de la Loi, princes et non pas juges, se sont déchargés de cette partie de l'autorité qui peut être odieuse, et, faisant eux-mêmes les grâces, ont commis à des magistrats particuliers la distribution des peines.

Il n'y a guères eu d'empereurs plus jaloux de leur autorité que Tibère et Sévère; cependant ils se laissèrent gouverner, l'un par Séjan, l'autre par Plautien, d'une manière misérable.

La malheureuse coutume de proscrire introduite par Sylla continua sous les Empereurs, et il fallait même qu'un prince eût quelque vertu pour ne la pas suivre :

car, comme ses ministres et ses favoris jetaient d'abord les yeux sur tant de confiscations, ils ne lui parlaient que de la nécessité de punir et des périls de la clémence.

Les proscriptions de Sévère firent que plusieurs soldats de Niger [1] se retirèrent chez les Parthes [2] : ils leur apprirent ce qui manquait à leur art militaire, à faire usage des armes romaines et même à en fabriquer; ce qui fit que ces peuples, qui s'étaient ordinairement contentés de se défendre, furent dans la suite presque toujours agresseurs [3].

Il est remarquable que, dans cette suite de guerres civiles qui s'élevèrent continuellement, ceux qui avaient les légions d'Europe vainquirent presque toujours ceux qui avaient les légions d'Asie [4], et l'on trouve dans l'histoire de Sévère qu'il ne put prendre la ville d'Atra, en Arabie, parce que, les légions d'Europe s'étant mutinées, il fut obligé de se servir de celles de Syrie.

On sentit cette différence depuis qu'on commença à faire des levées dans les provinces [5], et elle fut telle entre les légions qu'elle était entre les peuples mêmes, qui, par la nature et par l'éducation, sont plus ou moins propres pour la guerre.

Ces levées faites dans les provinces produisirent un autre effet : les Empereurs, pris ordinairement dans la

1. Hérodien, *Vie de Sévère*.
2. Le mal continua sous Alexandre. Artaxerxès, qui rétablit l'empire des Perses, se rendit formidable aux Romains, parce que leurs soldats, par caprice ou par libertinage, désertèrent en foule vers lui. (*Abrégé* de Xiphilin du liv. LXXX de Dion.)
3. C'est-à-dire les Perses, qui les suivirent.
4. Sévère défit les légions asiatiques de Niger; Constantin, celles de Licinius. Vespasien, quoique proclamé par les armées de Syrie, ne fit la guerre à Vitellius qu'avec les légions de Mœsie, de Pannonie et de Dalmatie. Cicéron, étant dans son gouvernement, écrivait au Sénat qu'on ne pouvait compter sur les levées faites en Asie. Constantin ne vainquit Maxence, dit Zosime, que par sa cavalerie. Sur cela, voyez ci-dessous le septième alinéa du chap. XXII.
5. Auguste rendit les légions des corps fixes et les plaça dans les provinces. Dans les premiers temps, on ne faisait des levées qu'à Rome; ensuite, chez les Latins; après, dans l'Italie; enfin, dans les provinces.

milice, furent presque tous étrangers et quelquefois barbares; Rome ne fut plus la maîtresse du Monde, mais elle reçut des lois de tout l'Univers.

Chaque empereur y porta quelque chose de son pays, ou pour les manières, ou pour les mœurs, ou pour la police, ou pour le culte, et Héliogabale alla jusqu'à vouloir détruire tous les objets de la vénération de Rome et ôter tous les Dieux de leurs temples, pour y placer le sien.

Ceci, indépendamment des voies secrètes que Dieu choisit, et que lui seul connaît, servit beaucoup à l'établissement de la Religion chrétienne : car il n'y avait plus rien d'étranger dans l'Empire, et l'on y était préparé à recevoir toutes les coutumes qu'un empereur voudrait introduire.

On sait que les Romains reçurent dans leur ville les Dieux des autres pays; ils les reçurent en conquérants : ils les faisaient porter dans les triomphes. Mais, lorsque les étrangers vinrent eux-mêmes les rétablir, on les réprima d'abord. On sait, de plus, que les Romains avaient coutume de donner aux Divinités étrangères les noms de celles des leurs qui y avaient le plus de rapport. Mais, lorsque les prêtres des autres pays voulurent faire adorer à Rome leurs Divinités sous leurs propres noms, ils ne furent pas soufferts, et ce fut un des grands obstacles que trouva la Religion chrétienne.

On pourrait appeler Caracalla, non pas un *tyran*, mais *le destructeur des hommes* : Caligula, Néron et Domitien bornaient leurs cruautés dans Rome; celui-ci allait promener sa fureur dans tout l'Univers.

Sévère avait employé les exactions d'un long règne et les proscriptions de ceux qui avaient suivi le parti de ses concurrents, à amasser des trésors immenses.

Caracalla, ayant commencé son règne par tuer de sa propre main Géta, son frère, employa ses richesses à faire souffrir son crime aux soldats, qui aimaient Géta et disaient qu'ils avaient fait serment aux deux enfants de Sévère, non pas à un seul.

Ces trésors amassés par des princes n'ont presque jamais que des effets funestes : ils corrompent le successeur, qui en est ébloui, et, s'ils ne gâtent pas son cœur, ils gâtent son esprit. Il forme d'abord de grandes entreprises avec une puissance qui est d'accident, qui ne peut pas durer, qui n'est pas naturelle, et qui est plutôt enflée qu'agrandie.

Caracalla augmenta la paye des soldats; Macrin écrivit au Sénat que cette augmentation allait à soixante et dix millions[1] de drachmes[2]. Il y a apparence que ce prince enflait les choses, et, si l'on compare la dépense de la paye de nos soldats d'aujourd'hui avec le reste des dépenses publiques, et qu'on suive la même proportion pour les Romains, on verra que cette somme eût été énorme.

Il faut chercher quelle était la paye du soldat romain. Nous apprenons d'Orose que Domitien augmenta d'un quart la paye établie[3]. Il paraît, par le discours d'un soldat dans Tacite, qu'à la mort d'Auguste elle était de dix onces de cuivre[4]. On trouve dans Suétone que César avait doublé la paye de son temps[5]. Pline dit qu'à la seconde guerre punique on l'avait diminuée d'un cinquième[6]. Elle fut donc d'environ six onces de cuivre dans la première guerre punique[7], de cinq onces dans la seconde[8], de dix sous César, et de treize et un tiers sous Domitien[9]. Je ferai ici quelques réflexions.

1. Sept mille myriades. (Dion, *in Macrin.*)
2. La drachme attique était le denier romain, la huitième partie de l'once, et la soixante-quatrième partie de notre marc.
3. Il l'augmenta en raison de soixante et quinze à cent.
4. *Annal.*, liv. I.
5. *Vie de César.*
6. *Hist. nat.*, liv. XXXIII, art. 13. Au lieu de donner dix onces de cuivre pour vingt, on en donna seize.
7. Un soldat, dans Plaute (*in Mostellaria*), dit qu'elle était de trois asses; ce qui ne peut être entendu que des asses de dix onces. Mais, si la paye était exactement de six asses dans la première guerre punique, elle ne diminua pas, dans la seconde, d'un cinquième, mais d'un sixième, et on négligea la fraction.
8. Polybe, qui l'évalue en monnaie grecque, ne diffère que d'une fraction.
9. Voyez Orose et Suétone, *in Domit.* Ils disent la même chose sous différentes expressions. J'ai fait ces réductions en onces de cuivre, afin que, pour m'entendre, on n'eût pas besoin de la connaissance des monnaies romaines.

La paye que la République donnait aisément lorsqu'elle n'avait qu'un petit Etat, que, chaque année, elle faisait une guerre, et que, chaque année, elle recevait des dépouilles, elle ne put la donner sans s'endetter dans la première guerre punique, qu'elle étendit ses bras hors de l'Italie, qu'elle eut à soutenir une guerre longue et à entretenir de grandes armées.

Dans la seconde guerre punique, la paye fut réduite à cinq onces de cuivre, et cette diminution put se faire sans danger dans un temps où la plupart des citoyens rougirent d'accepter la solde même et voulurent servir à leurs dépens.

Les trésors de Persée[1] et ceux de tant d'autres rois, que l'on porta continuellement à Rome, y firent cesser les tributs. Dans l'opulence publique et particulière, on eut la sagesse de ne point augmenter la paye de cinq onces de cuivre.

Quoique, sur cette paye, on fit une déduction pour le blé, les habits et les armes, elle fut suffisante, parce qu'on n'enrôlait que les citoyens qui avaient un patrimoine.

Marius ayant enrôlé des gens qui n'avaient rien, et son exemple ayant été suivi, César fut obligé d'augmenter la paye.

Cette augmentation ayant été continuée après la mort de César, on fut contraint, sous le consulat de Hirtius et de Pansa, de rétablir les tributs.

La faiblesse de Domitien lui ayant fait augmenter cette paye d'un quart, il fit une grande plaie à l'Etat, dont le malheur n'est pas que le luxe y règne, mais qu'il règne dans des conditions qui, par la nature des choses, ne doivent avoir que le nécessaire physique. Enfin, Caracalla ayant fait une nouvelle augmentation, l'Empire fut mis dans cet état que, ne pouvant subsister sans les soldats, il ne pouvait subsister avec eux.

Caracalla, pour diminuer l'horreur du meurtre de son frère, le mit au rang des Dieux, et ce qu'il y a de singulier, c'est que cela lui fut exactement rendu par Macrin, qui, après l'avoir fait poignarder, voulant

1. Cicéron, *Des Offices*, liv. II.

apaiser les soldats prétoriens, désespérés de la mort de ce prince qui leur avait tant donné, lui fit bâtir un temple et y établit des prêtres flamines en son honneur.

Cela fit que sa mémoire ne fut pas flétrie [1], et que, le Sénat n'osant pas le juger, il ne fut pas mis au rang des tyrans, comme Commode, qui ne le méritait pas plus que lui.

De deux grands empereurs, Adrien et Sévère, l'un établit la discipline militaire, et l'autre la relâcha [2]. Les effets répondirent très bien aux causes : les règnes qui suivirent celui d'Adrien furent heureux et tranquilles; après Sévère, on vit régner toutes les horreurs.

Les profusions de Caracalla envers les soldats avaient été immenses, et il avait très bien suivi le conseil que son père lui avait donné en mourant, d'enrichir les gens de guerre et de ne s'embarrasser pas des autres.

Mais cette politique n'était guère bonne que pour un règne : car le successeur, ne pouvant plus faire les mêmes dépenses, était d'abord massacré par l'armée; de façon qu'on voyait toujours les empereurs sages mis à mort par les soldats, et les méchants, par des conspirations ou des arrêts du Sénat.

Quand un tyran qui se livrait aux gens de guerre avait laissé les citoyens exposés à leurs violences et à leurs rapines, cela ne pouvait non plus durer qu'un règne : car les soldats, à force de détruire, allaient jusqu'à s'ôter à eux-mêmes leur solde. Il fallait donc songer à rétablir la discipline militaire : entreprise qui coûtait toujours la vie à celui qui osait la tenter.

Quand Caracalla eut été tué par les embûches de Macrin, les soldats, désespérés d'avoir perdu un prince qui donnait sans mesure, élurent Héliogabale [3]; et, quand ce dernier, qui, n'étant occupé que de ses sales voluptés, les laissait vivre à leur fantaisie, ne put plus être souffert, ils le massacrèrent. Ils tuèrent de même

1. Elius Lampridius, *in Vit. Alexand. Sev.*
2. Voyez l'*Abrégé* de Xiphilin, *Vie d'Adrien*, et Hérodien, *Vie de Sévère.*
3. Dans ce temps-là, tout le monde se croyait bon pour parvenir à l'empire. Voyez Dion, liv. LXXIX.

Alexandre, qui voulait rétablir la discipline et parlait de les punir [1].

Ainsi un tyran, qui ne s'assurait point la vie, mais le pouvoir de faire des crimes, périssait, avec ce funeste avantage que celui qui voudrait faire mieux périrait après lui.

Après Alexandre, on élut Maximin, qui fut le premier empereur d'une origine barbare. Sa taille gigantesque et la force de son corps l'avaient fait connaître.

Il fut tué avec son fils par ses soldats. Les deux premiers Gordiens périrent en Afrique. Maxime, Balbin et le troisième Gordien furent massacrés. Philippe, qui avait fait tuer le jeune Gordien, fut tué lui-même avec son fils. Et Dèce, qui fut élu en sa place, périt à son tour par la trahison de Gallus [2].

Ce qu'on appelait l'*Empire romain* dans ce siècle-là était une espèce de république irrégulière, telle, à peu près, que l'aristocratie d'Alger, où la milice, qui a la puissance souveraine, fait et défait un magistrat qu'on appelle le *Dey*, et peut-être est-ce une règle assez générale que le gouvernement militaire est, à certains égards, plutôt républicain que monarchique.

Et qu'on ne dise pas que les soldats ne prenaient de part au gouvernement que par leur désobéissance et leurs révoltes. Les harangues que les Empereurs leur faisaient ne furent-elles pas à la fin du genre de celles que les consuls et les tribuns avaient faites autrefois au Peuple ? Et, quoique les armées n'eussent pas un lieu pour s'assembler, qu'elles ne se conduisissent point par de certaines formes, qu'elles ne fussent pas ordinairement de sang-froid, délibérant peu et agissant beaucoup, ne disposaient-elles pas en souveraines de la fortune publique ? Et qu'était-ce qu'un empereur,

1. Voyez Lampridius.
2. Casaubon remarque, sur l'*Histoire Augustale*, que, dans les cent soixante années qu'elle contient, il y eut soixante et dix personnes qui eurent justement ou injustement le titre de *César : Adeo erant in illo principatu, quem tamen omnes mirantur, comitia imperii semper incerta!* Ce qui fait bien voir la différence de ce gouvernement à celui de France, où ce royaume n'a eu, en douze cents ans de temps, que soixante-trois rois.

que le ministre d'un gouvernement violent, élu pour l'utilité particulière des soldats ?

Quand l'armée associa à l'empire Philippe, qui était préfet du prétoire du troisième Gordien, celui-ci demanda qu'on lui laissât le commandement entier, et il ne put l'obtenir [1] : il harangua l'armée pour que la puissance fût égale entre eux, et il ne l'obtint pas non plus ; il supplia qu'on lui laissât le titre de *César*, et on le lui refusa ; il demanda d'être préfet du prétoire, et on rejeta ses prières ; enfin, il parla pour sa vie. L'armée, dans ses divers jugements, exerçait la magistrature suprême.

Les Barbares, au commencement inconnus aux Romains, ensuite seulement incommodes, leur étaient devenus redoutables. Par l'événement du Monde le plus extraordinaire, Rome avait si bien anéanti tous les peuples que, lorsqu'elle fut vaincue elle-même, il sembla que la Terre en eût enfanté de nouveaux pour la détruire.

Les princes des grands Etats ont ordinairement peu de pays voisins qui puissent être l'objet de leur ambition. S'il y en avait eu de tels, ils auraient été enveloppés dans le cours de la conquête. Ils sont donc bornés par des mers, des montagnes et de vastes déserts, que leur pauvreté fait mépriser. Aussi les Romains laissèrent-ils les Germains dans leurs forêts et les peuples du Nord dans leurs glaces, et il s'y conserva ou même il s'y forma des nations qui enfin les asservirent euxmêmes.

Sous le règne de Gallus, un grand nombre de nations, qui se rendirent ensuite plus célèbres, ravagèrent l'Europe, et les Perses, ayant envahi la Syrie, ne quittèrent leurs conquêtes que pour conserver leur butin.

Ces essaims de Barbares qui sortirent autrefois du Nord ne paraissent plus aujourd'hui. Les violences des Romains avaient fait retirer les peuples du Midi au Nord. Tandis que la force qui les contenait subsista, ils y restèrent ; quand elle fut affaiblie, ils se répandirent

1. Voyez Jules Capitolin.

de toutes parts [1]. La même chose arriva quelques siècles après. Les conquêtes de Charlemagne et ses tyrannies avaient, une seconde fois, fait reculer les peuples du Midi au Nord; sitôt que cet empire fut affaibli, ils se portèrent une seconde fois du Nord au Midi. Et, si aujourd'hui un prince faisait en Europe les mêmes ravages, les nations repoussées dans le Nord, adossées aux limites de l'Univers, y tiendraient ferme jusqu'au moment qu'elles inonderaient et conquerraient l'Europe une troisième fois.

L'affreux désordre qui était dans la succession à l'empire étant venu à son comble, on vit paraître, sur la fin du règne de Valérien et pendant celui de Gallien, son fils, trente prétendants divers, qui, s'étant la plupart entre-détruits, ayant eu un règne très court, furent nommés *Tyrans*.

Valérien ayant été pris par les Perses, et Gallien, son fils, négligeant les affaires, les Barbares pénétrèrent partout. L'Empire se trouva dans cet état où il fut, environ un siècle après, en Occident [2], et il aurait, dès lors, été détruit sans un concours heureux de circonstances qui le relevèrent.

Odénat, prince de Palmyre, allié des Romains, chassa les Perses, qui avaient envahi presque toute l'Asie; la ville de Rome fit une armée de ses citoyens, qui écarta les Barbares qui venaient la piller; une armée innombrable de Scythes, qui passait la mer avec six mille vaisseaux, périt par les naufrages, la misère, la faim et sa grandeur même; et, Gallien ayant été tué, Claude, Aurélien, Tacite et Probus, quatre grands hommes qui, par un grand bonheur, se succédèrent, rétablirent l'Empire prêt à périr.

---

1. On voit à quoi se réduit la fameuse question : *Pourquoi le Nord n'est plus si peuplé qu'autrefois* ?
2. Cent cinquante ans après, sous Honorius, les Barbares l'envahirent.

CHAPITRE XVII

CHANGEMENT DANS L'ÉTAT

Pour prévenir les trahisons continuelles des soldats, les Empereurs s'associèrent des personnes en qui ils avaient confiance, et Dioclétien, sous prétexte de la grandeur des affaires, régla qu'il y aurait toujours deux empereurs et deux césars. Il jugea que, les quatre principales armées étant occupées par ceux qui auraient part à l'empire, elles s'intimideraient les unes les autres; que les autres armées, n'étant pas assez fortes pour entreprendre de faire leur chef empereur, elles perdraient peu à peu la coutume d'élire; et qu'enfin, la dignité de césar étant toujours subordonnée, la puissance, partagée entre quatre pour la sûreté du Gouvernement, ne serait pourtant, dans toute son étendue, qu'entre les mains de deux.

Mais ce qui contint encore plus les gens de guerre, c'est que, les richesses des particuliers et la fortune publique ayant diminué, les Empereurs ne purent plus leur faire des dons si considérables; de manière que la récompense ne fût plus proportionnée au danger de faire une nouvelle élection.

D'ailleurs, les préfets du prétoire, qui, pour le pouvoir et pour les fonctions, étaient, à peu près, comme les grands vizirs de ces temps-là et faisaient à leur gré massacrer les Empereurs pour se mettre en leur place, furent fort abaissés par Constantin, qui ne leur laissa que les fonctions civiles et en fit quatre au lieu de deux.

La vie des Empereurs commença donc à être plus assurée; ils purent mourir dans leur lit, et cela sembla avoir un peu adouci leurs mœurs : ils ne versèrent plus le sang avec tant de férocité. Mais, comme il fallait que ce pouvoir immense débordât quelque part, on vit un autre genre de tyrannie, mais plus sourde. Ce ne furent plus des massacres, mais des jugements iniques, des formes de justice qui semblaient n'éloigner la mort que pour flétrir la vie. La Cour fut gouvernée et gouverna par plus d'artifices, par des arts plus exquis, avec un plus grand silence. Enfin, au lieu de cette hardiesse à concevoir une mauvaise action et de cette impétuosité à la commettre, on ne vit plus régner que les vices des âmes faibles, et des crimes réfléchis.

Il s'établit un nouveau genre de corruption. Les premiers empereurs aimaient les plaisirs; ceux-ci, la mollesse. Ils se montrèrent moins aux gens de guerre; ils furent plus oisifs, plus livrés à leurs domestiques, plus attachés à leurs palais, et plus séparés de l'Empire.

Le poison de la Cour augmenta sa force à mesure qu'il fut plus séparé [1] : on ne dit rien, on insinua tout; les grandes réputations furent toutes attaquées, et les ministres et les officiers de guerre furent mis sans cesse à la discrétion de cette sorte de gens qui ne peuvent servir l'Etat, ni souffrir qu'on le serve avec gloire.

Enfin, cette affabilité des premiers empereurs, qui seule pouvait leur donner le moyen de connaître leurs affaires, fut entièrement bannie. Le Prince ne sut plus rien que sur le rapport de quelques confidents, qui, toujours de concert, souvent même lorsqu'ils semblaient être d'opinion contraire, ne faisaient auprès de lui que l'office d'un seul.

Le séjour de plusieurs empereurs en Asie et leur perpétuelle rivalité avec les rois de Perse firent qu'ils voulurent être adorés comme eux, et Dioclétien, d'autres disent Galère, l'ordonna par un édit.

Ce faste et cette pompe asiatiques s'établissant, les yeux s'y accoutumèrent d'abord, et, lorsque Julien voulut mettre de la simplicité et de la modestie dans

1. Voyez ce que les auteurs nous disent de la cour de Constantin, de Valens, etc.

ses manières, on appela *oubli de la dignité* ce qui n'était que la mémoire des anciennes mœurs.

Quoique, depuis Marc-Aurèle, il y eût eu plusieurs empereurs, il n'y avait eu qu'un Empire, et, l'autorité de tous étant reconnue dans les provinces, c'était une puissance unique exercée par plusieurs.

Mais Galère et Constance Chlore n'ayant pu s'accorder, ils partagèrent réellement l'Empire [1], et, par cet exemple, qui fut dans la suite suivi par Constantin, qui prit le plan de Galère, et non pas celui de Dioclétien, il s'introduisit une coutume qui fut moins un changement qu'une révolution.

De plus, l'envie qu'eut Constantin de faire une ville nouvelle, la vanité de lui donner son nom, le déterminèrent à porter en Orient le siège de l'empire. Quoique l'enceinte de Rome ne fût pas à beaucoup près si grande qu'elle est à présent, les faubourgs en étaient prodigieusement étendus [2]. L'Italie, pleine de maisons de plaisance, n'était proprement que le jardin de Rome : les laboureurs étaient en Sicile, en Afrique, en Egypte [3], et les jardiniers, en Italie. Les terres n'étaient presque cultivées que par les esclaves des citoyens romains. Mais, lorsque le siège de l'empire fut établi en Orient, Rome presque entière y passa : les Grands y menèrent leurs esclaves, c'est-à-dire presque tout le Peuple, et l'Italie fut privée de ses habitants.

Pour que la nouvelle ville ne cédât en rien à l'ancienne, Constantin voulut qu'on y distribuât aussi du blé, et ordonna que celui d'Egypte serait envoyé à Constantinople, et celui de l'Afrique, à Rome ; ce qui, me semble, n'était pas fort sensé.

Dans le temps de la République, le peuple romain, souverain de tous les autres, devait naturellement

---

1. Voyez Orose, liv. VII, et Aurelius Victor.
2. *Exspatiantia tecta multas addidere urbes*, dit Pline (*Hist. nat.*, liv. III).
3. « On portait autrefois d'Italie, dit Tacite, du blé dans les provinces reculées, et elle n'est pas encore stérile. Mais nous cultivons plutôt l'Afrique et l'Egypte, et nous aimons mieux exposer aux accidents la vie du peuple romain. » (*Annal.*, liv. XII.)

avoir part aux tributs; cela fit que le Sénat lui vendit
d'abord du blé à bas prix et ensuite le lui donna pour
rien. Lorsque le Gouvernement fut devenu monarchique, cela subsista contre les principes de la monarchie; on laissait cet abus à cause des inconvénients qu'il
y aurait eus à le changer. Mais Constantin, fondant
une ville nouvelle, l'y établit sans aucune bonne raison.

Lorsque Auguste eut conquis l'Egypte, il apporta
à Rome le trésor des Ptolomées. Cela y fit à peu près
la même révolution que la découverte des Indes a faite
depuis en Europe, et que de certains systèmes ont faite
de nos jours : les fonds doublèrent de prix à Rome [1].
Et, comme Rome continua d'attirer à elle les richesses
d'Alexandrie, qui recevait elle-même celles de l'Afrique
et de l'Orient, l'or et l'argent devinrent très communs
en Europe; ce qui mit les peuples en état de payer des
impôts très considérables en espèces.

Mais, lorsque l'Empire eut été divisé, ces richesses
allèrent à Constantinople. On sait, d'ailleurs, que les
mines d'Angleterre n'étaient point encore ouvertes [2];
qu'il y en avait très peu en Italie [3] et dans les Gaules;
que, depuis les Carthaginois, les mines d'Espagne
n'étaient guère plus travaillées ou, du moins, n'étaient
plus si riches [4]. L'Italie, qui n'avait plus que des jardins abandonnés, ne pouvait par aucun moyen attirer
l'argent de l'Orient, pendant que l'Occident, pour
avoir de ses marchandises, y envoyait le sien. L'or et
l'argent devinrent donc extrêmement rares en Europe.
Mais les Empereurs y voulurent exiger les mêmes
tributs; ce qui perdit tout.

1. Suétone, *in Augusto*. Orose, liv. VI. Rome avait eu souvent
de ces révolutions. J'ai dit que les trésors de Macédoine qu'on
y apporta avaient fait cesser tous les tributs. (Cicéron, *Des
Offices*, liv. II.)
2. Tacite (*De Moribus Germanorum*) le dit formellement. On
sait, d'ailleurs, à peu près l'époque de l'ouverture de la plupart
des mines d'Allemagne. Voyez Thomas Sesreiberus sur l'origine
des mines du Hartz. On croit celles de Saxe moins anciennes.
3. Voyez Pline, liv. XXXVII, art. 77.
4. Les Carthaginois, dit Diodore, surent très bien l'art d'en
profiter, et les Romains, celui d'empêcher que les autres n'en
profitassent.

Lorsque le Gouvernement a une forme depuis long-temps établie, et que les choses se sont mises dans une certaine situation, il est presque toujours de la prudence de les y laisser, parce que les raisons, souvent compliquées et inconnues, qui font qu'un pareil état a subsisté font qu'il se maintiendra encore. Mais, quand on change le système total, on ne peut remédier qu'aux inconvénients qui se présentent dans la théorie, et on en laisse d'autres que la pratique seule peut faire découvrir.

Ainsi, quoique l'Empire ne fût déjà que trop grand, la division qu'on en fit le ruina, parce que toutes les parties de ce grand corps, depuis longtemps ensemble, s'étaient, pour ainsi dire, ajustées pour y rester et dépendre les unes des autres.

Constantin [1], après avoir affaibli la capitale, frappa un autre coup sur les frontières : il ôta les légions qui étaient sur le bord des grands fleuves, et les dispersa dans les provinces; ce qui produisit deux maux : l'un, que la barrière qui contenait tant de nations fut ôtée; et l'autre, que les soldats vécurent et s'amollirent dans le cirque [2] et dans les théâtres [3].

Lorsque Constantius envoya Julien dans les Gaules, il trouva que cinquante villes le long du Rhin [4] avaient été prises par les Barbares; que les provinces avaient été saccagées; qu'il n'y avait plus que l'ombre d'une armée romaine, que le seul nom des ennemis faisait fuir.

Ce prince, par sa sagesse, sa constance, son éco-

---

1. Dans ce qu'on dit de Constantin, on ne choque point les auteurs ecclésiastiques, qui déclarent qu'ils n'entendent parler que des actions de ce prince qui ont du rapport à la piété, et non de celles qui en ont au gouvernement de l'Etat. (Eusèbe, *Vie de Constantin*, liv. I, chap. ix. Socrate, liv. I, chap. i.)

2. Zosime, liv. VIII.

3. Depuis l'établissement du Christianisme, les combats des gladiateurs devinrent rares. Constantin défendit d'en donner. Ils furent entièrement abolis sous Honorius, comme il paraît par Théodoret et Othon de Frisingue. Les Romains ne retinrent de leurs anciens spectacles que ce qui pouvait affaiblir les courages et servait d'attrait à la volupté.

4. Ammien Marcellin, liv. XVI, XVII et XVIII.

nomie, sa conduite, sa valeur et une suite continuelle d'actions héroïques, rechassa les Barbares [1], et la terreur de son nom les contint tant qu'il vécut [2].

La brièveté des règnes, les divers partis politiques, les différentes religions, les sectes particulières de ces religions, ont fait que le caractère des Empereurs est venu à nous extrêmement défiguré. Je n'en donnerai que deux exemples : cet Alexandre, si lâche dans Hérodien, paraît plein de courage dans Lampridius; ce Gratien, tant loué par les Orthodoxes, Philostorgue le compare à Néron.

Valentinien sentit plus que personne la nécessité de l'ancien plan : il employa toute sa vie à fortifier les bords du Rhin, à y faire des levées, y bâtir des châteaux, y placer des troupes, leur donner le moyen d'y subsister. Mais il arriva dans le Monde un événement qui détermina Valens, son frère, à ouvrir le Danube et eut d'effroyables suites.

Dans le pays qui est entre les Palus-Méotides, les montagnes du Caucase et la Mer Caspienne, il y avait plusieurs peuples qui étaient la plupart de la nation des Huns ou de celle des Alains. Leurs terres étaient extrêmement fertiles; ils aimaient la guerre et le brigandage; ils étaient presque toujours à cheval ou sur leurs chariots et erraient dans le pays où ils étaient enfermés; ils faisaient bien quelques ravages sur les frontières de Perse et d'Arménie, mais on gardait aisément les Portes Caspiennes, et ils pouvaient difficilement pénétrer dans la Perse par ailleurs. Comme ils n'imaginaient point qu'il fût possible de traverser les Palus-Méotides [3], ils ne connaissaient pas les Romains, et, pendant que d'autres Barbares ravageaient l'Empire, ils restaient dans les limites que leur ignorance leur avait données.

Quelques-uns ont dit que le limon que le Tanaïs avait apporté avait formé une espèce de croûte sur le Bos-

1. Ammien Marcellin, liv. XVI, XVII et XVIII.
2. Voyez le magnifique éloge qu'Ammien Marcellin fait de ce prince (liv. XXV). Voyez aussi les fragments de l'*Histoire* de Jean d'Antioche.
3. Procope, *Histoire mêlée*.

phore Cimmérien, sur laquelle ils avaient passé [1]. D'autres, que deux jeunes Scythes, poursuivant une biche qui traversa ce bras de mer, le traversèrent aussi [2]; ils furent étonnés de voir un nouveau Monde, et, retournant dans l'ancien, ils apprirent à leurs compatriotes les nouvelles terres et, si j'ose me servir de ce terme, les Indes qu'ils avaient découvertes [3].

D'abord, des corps innombrables de Huns passèrent, et, rencontrant les Goths les premiers, ils les chassèrent devant eux. Il semblait que ces nations se précipitassent les unes sur les autres, et que l'Asie, pour peser sur l'Europe, eût acquis un nouveau poids.

Les Goths, effrayés, se présentèrent sur les bords du Danube et, les mains jointes, demandèrent une retraite. Les flatteurs de Valens saisirent cette occasion et la lui représentèrent comme une conquête heureuse d'un nouveau peuple qui venait défendre l'Empire et l'enrichir [4].

Valens ordonna qu'ils passeraient sans armes [5]; mais, pour de l'argent, ses officiers leur en laissèrent tant qu'ils voulurent. Il leur fit distribuer des terres; mais, à la différence des Huns, les Goths n'en cultivaient point [6]. On les priva même du blé qu'on leur

1. Zosime, liv. IV.
2. Jornandès, *De Rebus Geticis. Hist. mêlée* de Procope.
3. Voyez Sozomène, liv. VI.
4. Ammien Marcellin, liv. XXIX.
5. De ceux qui avaient reçu ces ordres, celui-ci conçut un amour infâme, celui-là fut épris de la beauté d'une femme barbare, les autres furent corrompus par des présents, des habits de lin et des couvertures bordées de franges. On n'eut d'autre soin que de remplir sa maison d'esclaves et ses fermes de bétail. (*Hist*. de Dexippe.)
6. Voyez l'*Histoire Gothique* de Priscus, où cette différence est bien établie. — On demandera peut-être comment des nations qui ne cultivaient point les terres pouvaient devenir si puissantes, tandis que celles de l'Amérique sont si petites. C'est que les peuples pasteurs ont une subsistance bien plus assurée que les peuples chasseurs. — Il paraît par Ammien Marcellin que les Huns, dans leur première demeure, ne labouraient point les champs; ils ne vivaient que de leurs troupeaux, dans un pays abondant en pâturages et arrosé par quantité de fleuves, comme font encore aujourd'hui les Petits Tartares qui habitent une partie du même pays. Il y a apparence que ces peuples, depuis leur

avait promis; ils mouraient de faim, et ils étaient au milieu d'un pays riche; ils étaient armés, et on leur faisait des injustices. Ils ravagèrent tout, depuis le Danube jusqu'au Bosphore, exterminèrent Valens et son armée, et ne repassèrent le Danube que pour abandonner l'affreuse solitude qu'ils avaient faite[1].

départ, ayant habité des lieux moins propres à la nourriture des troupeaux, commencèrent à cultiver les terres.

1. Voyez Zosime, liv. IV. Voyez aussi Dexippe, dans l'*Extrait des Ambassades* de Constantin Porphyrogénète.

CHAPITRE XVIII

NOUVELLES MAXIMES PRISES PAR LES ROMAINS

Quelquefois la lâcheté des Empereurs, souvent la faiblesse de l'Empire, firent que l'on chercha à apaiser par de l'argent les peuples qui menaçaient d'envahir [1]. Mais la paix ne peut point s'acheter, parce que celui qui l'a vendue n'en est que plus en état de la faire acheter encore.

Il vaut mieux courir le risque de faire une guerre malheureuse que de donner de l'argent pour avoir la paix : car on respecte toujours un prince lorsqu'on sait qu'on ne le vaincra qu'après une longue résistance.

D'ailleurs, ces sortes de gratifications se changeaient en tributs et, libres au commencement, devenaient nécessaires; elles furent regardées comme des droits acquis, et, lorsqu'un empereur les refusa à quelques peuples ou voulut donner moins, ils devinrent de mortels ennemis. Entre mille exemples, l'armée que Julien mena contre les Perses fut poursuivie dans sa retraite par des Arabes à qui il avait refusé le tribut accoutumé [2]; et, d'abord après, sous l'empire de Valentinien, les Allemands, à qui on avait offert des présents moins considérables qu'à l'ordinaire, s'en indignèrent, et ces peuples du Nord, déjà gouvernés par le point d'honneur, se vengèrent de cette insulte prétendue par une cruelle guerre.

1. On donna d'abord tout aux soldats; ensuite, on donna tout aux ennemis.
2. Ammien Marcellin, liv. XXV.

Toutes ces nations qui entouraient l'Empire en Europe et en Asie absorbèrent peu à peu les richesses des Romains [1], et, comme ils s'étaient agrandis parce que l'or et l'argent de tous les rois était porté chez eux [2], ils s'affaiblirent parce que leur or et leur argent fut porté chez les autres.

Les fautes que font les hommes d'Etat ne sont pas toujours libres : souvent ce sont des suites nécessaires de la situation où l'on est, et les inconvénients ont fait naître les inconvénients.

La milice, comme on a déjà vu, était devenue très à charge à l'Etat. Les soldats avaient trois sortes d'avantages : la paye ordinaire, la récompense après le service, et les libéralités d'accident, qui devenaient très souvent des droits pour des gens qui avaient le Peuple et le Prince entre leurs mains.

L'impuissance où l'on se trouva de payer ces charges fit que l'on prit une milice moins chère. On fit des traités avec des nations barbares, qui n'avaient ni le luxe des soldats romains, ni le même esprit, ni les mêmes prétentions.

Il y avait une autre commodité à cela : comme les Barbares tombaient tout à coup sur un pays, n'y ayant point chez eux de préparatifs après la résolution de partir, il était difficile de faire des levées à temps dans les provinces. On prenait donc un autre corps de Barbares, toujours prêt à recevoir de l'argent, à piller et à se battre. On était servi pour le moment; mais, dans la suite, on avait autant de peine à réduire les auxiliaires que les ennemis.

Les premiers Romains ne mettaient point dans leurs armées un plus grand nombre de troupes auxiliaires

1. Ammien Marcellin, liv. XXVI.
2. « Vous voulez des richesses ? disait un empereur à son armée qui murmurait. Voilà le pays des Perses! Allons en chercher. Croyez-moi : de tant de trésors que possédait la République romaine, il ne reste plus rien, et le mal vient de ceux qui ont appris aux Princes à acheter la paix des Barbares. Nos finances sont épuisées; nos villes, détruites ; nos provinces, ruinées. Un empereur qui ne connaît d'autres biens que ceux de l'âme n'a pas honte d'avouer une pauvreté honnête. » (Ammien Marcellin, liv. XXIV.)

que de romaines [1], et, quoique leurs alliés fussent proprement des sujets, ils ne voulaient point avoir pour sujets des peuples plus belliqueux qu'eux-mêmes.

Mais, dans les derniers temps, non seulement ils n'observèrent pas cette proportion des troupes auxiliaires, mais même ils remplirent de soldats barbares les corps de troupes nationales.

Ainsi ils établissaient des usages tout contraires à ceux qui les avaient rendus maîtres de tout, et, comme autrefois leur politique constante fut de se réserver l'art militaire et d'en priver tous leurs voisins, ils le détruisaient pour lors chez eux et l'établissaient chez les autres.

Voici en un mot l'histoire des Romains : ils vainquirent tous les peuples par leurs maximes; mais, lorsqu'ils y furent parvenus, leur République ne put subsister, il fallut changer de gouvernement, et des maximes contraires aux premières, employées dans ce gouvernement nouveau, firent tomber leur grandeur.

Ce n'est pas la Fortune qui domine le Monde. On peut le demander aux Romains, qui eurent une suite continuelle de prospérités quand ils se gouvernèrent sur un certain plan, et une suite non interrompue de revers lorsqu'ils se conduisirent sur un autre. Il y a des causes générales, soit morales, soit physiques, qui agissent dans chaque monarchie, l'élèvent, la maintiennent, ou la précipitent; tous les accidents sont soumis à ces causes, et, si le hasard d'une bataille, c'est-à-dire une cause particulière, a ruiné un Etat, il y avait une cause générale qui faisait que cet Etat devait périr par une seule bataille. En un mot, l'allure principale entraîne avec elle tous les accidents particuliers.

Nous voyons que, depuis près de deux siècles, les troupes de terre de Danemark ont presque toujours été battues par celles de Suède. Il faut qu'indépendamment du courage des deux nations et du sort des armes il y ait dans le gouvernement danois, militaire

---

1. C'est une observation de Végèce, et il paraît par Tite-Live que, si le nombre des auxiliaires excéda quelquefois, ce fut de bien peu.

ou civil, un vice intérieur qui ait produit cet effet, et je ne le crois point difficile à découvrir.

Enfin, les Romains perdirent leur discipline militaire; ils abandonnèrent jusqu'à leurs propres armes. Végèce dit que, les soldats les trouvant trop pesantes, ils obtinrent de l'empereur Gratien de quitter leur cuirasse et ensuite leur casque [1]; de façon qu'exposés aux coups sans défense ils ne songèrent plus qu'à fuir.

Il ajoute qu'ils avaient perdu la coutume de fortifier leur camp, et que, par cette négligence, leurs armées furent enlevées par la cavalerie des Barbares.

La cavalerie fut peu nombreuse chez les premiers Romains : elle ne faisait que la onzième partie de la légion, et très souvent moins; et, ce qu'il y a d'extraordinaire, ils en avaient beaucoup moins que nous, qui avons tant de sièges à faire, où la cavalerie est peu utile. Quand les Romains furent dans la décadence, ils n'eurent presque plus que de la cavalerie. Il me semble que, plus une nation se rend savante dans l'art militaire, plus elle agit par son infanterie, et que, moins elle le connaît, plus elle multiplie sa cavalerie. C'est que, sans la discipline, l'infanterie, pesante ou légère, n'est rien; au lieu que la cavalerie va toujours, dans son désordre même [2]. L'action de celle-ci consiste plus dans son impétuosité et un certain choc; celle de l'autre, dans sa résistance et une certaine immobilité : c'est plutôt une réaction qu'une action. Enfin, la force de la cavalerie est momentanée; l'infanterie agit plus longtemps; mais il faut de la discipline pour qu'elle puisse agir longtemps.

Les Romains parvinrent à commander à tous les peuples, non seulement par l'art de la guerre, mais aussi par leur prudence, leur sagesse, leur constance, leur amour pour la gloire et pour la Patrie. Lorsque, sous les Empereurs, toutes ces vertus s'évanouirent, l'art militaire leur resta, avec lequel, malgré la faiblesse de la tyrannie de leurs princes, ils conservèrent

---

1. *De Re militari*, liv. I. chap. xx.
2. La cavalerie tartare, sans observer aucune de nos maximes militaires, a fait, dans tous les temps, de grandes choses. Voyez les *Relations*, et surtout celles de la dernière conquête de la Chine.

ce qu'ils avaient acquis. Mais, lorsque la corruption se mit dans la milice même, ils devinrent la proie de tous les peuples.

Un empire fondé par les armes a besoin de se soutenir par les armes. Mais, comme, lorsqu'un Etat est dans le trouble, on n'imagine pas comment il peut en sortir, de même, lorsqu'il est en paix et qu'on respecte sa puissance, il ne vient point dans l'esprit comment cela peut changer; il néglige donc la milice, dont il croit n'avoir rien à espérer et tout à craindre, et souvent même il cherche à l'affaiblir.

C'était une règle inviolable des premiers Romains que quiconque avait abandonné son poste ou laissé ses armes dans le combat était puni de mort. Julien et Valentinien avaient, à cet égard, établi les anciennes peines. Mais les Barbares pris à la solde des Romains [1], accoutumés à faire la guerre comme la font aujourd'hui les Tartares, à fuir pour combattre encore, à chercher le pillage plus que l'honneur, étaient incapables d'une pareille discipline.

Telle était la discipline des premiers Romains qu'on y avait vu des généraux condamner à mourir leurs enfants pour avoir, sans leur ordre, gagné la victoire. Mais, quand ils furent mêlés parmi les Barbares, ils y contractèrent un esprit d'indépendance qui faisait le caractère de ces nations, et, si l'on lit les guerres de Bélisaire contre les Goths, on verra un général presque toujours désobéi par ses officiers.

Sylla et Sertorius, dans la fureur des guerres civiles, aimaient mieux périr que de faire quelque chose dont Mithridate pût tirer avantage. Mais, dans les temps qui suivirent, dès qu'un ministre ou quelque grand crut qu'il importait à son avarice, à sa vengeance, à son ambition, de faire entrer les Barbares dans l'Empire, il le leur donna d'abord à ravager [2].

1. Ils ne voulaient pas s'assujettir aux travaux des soldats romains. Voyez Ammien Marcellin (liv. XVIII), qui dit, comme une chose extraordinaire, qu'ils s'y soumirent en une occasion, pour plaire à Julien, qui voulait mettre des places en état de défense.

2. Cela n'était pas étonnant dans ce mélange avec des nations qui avaient été errantes, qui ne connaissaient point de patrie, et

Il n'y a point d'Etat où l'on ait plus besoin de tributs que dans ceux qui s'affaiblissent; de sorte que l'on est obligé d'augmenter les charges à mesure que l'on est moins en état de les porter. Bientôt, dans les provinces romaines, les tributs devinrent intolérables.

Il faut lire dans Salvien les horribles exactions que l'on faisait sur les peuples [1]. Les citoyens, poursuivis par les traitants, n'avaient d'autre ressource que de se réfugier chez les Barbares ou de donner leur liberté au premier qui la voulait prendre.

Ceci servira à expliquer dans notre histoire française cette patience avec laquelle les Gaulois souffrirent la révolution qui devait établir cette différence accablante entre une nation noble et une nation roturière. Les Barbares, en rendant tant de citoyens esclaves de la glèbe, c'est-à-dire du champ auquel ils étaient attachés, n'introduisirent guère rien qui n'eût été plus cruellement exercé avant eux [2].

où souvent des corps entiers de troupes se joignaient à l'ennemi qui les avait vaincus, contre leur nation même. Voyez dans Procope ce que c'était que les Goths sous Vitigès.

1. Voyez tout le Ve livre *De Gubernatione Dei*. Voyez aussi, dans l'*Ambassade* écrite par Priscus, le discours d'un Romain établi parmi les Huns, sur sa félicité dans ce pays-là.

2. Voyez encore Salvien, liv. V, et les lois du Code et du Digeste là-dessus.

CHAPITRE XIX

I. GRANDEUR D'ATTILA
II. CAUSE DE L'ÉTABLISSEMENT DES BARBARES
III. RAISONS POURQUOI L'EMPIRE D'OCCIDENT
FUT LE PREMIER ABATTU

Comme, dans le temps que l'Empire s'affaiblissait, la Religion chrétienne s'établissait, les Chrétiens reprochaient aux Païens cette décadence, et ceux-ci en demandaient compte à la Religion chrétienne. Les Chrétiens disaient que Dioclétien avait perdu l'Empire en s'associant trois collègues [1], parce que chaque empereur voulait faire d'aussi grandes dépenses et entretenir d'aussi fortes armées que s'il avait été seul; que, par là, le nombre de ceux qui recevaient n'étant pas proportionné au nombre de ceux qui donnaient, les charges devinrent si grandes que les terres furent abandonnées par les laboureurs et se changèrent en forêts. Les Païens, au contraire, ne cessaient de crier contre un culte nouveau, inouï jusqu'alors; et, comme autrefois, dans Rome fleurissante, on attribuait les débordements du Tibre et les autres effets de la Nature à la colère des Dieux, de même, dans Rome mourante, on imputait les malheurs à un nouveau culte et au renversement des anciens autels.

Ce fut le préfet Symmaque qui, dans une lettre écrite aux Empereurs au sujet de l'autel de la Victoire [2], fit le plus valoir contre la Religion chrétienne des raisons populaires et, par conséquent, très capables de séduire.

1. Lactance, *De la Mort des Persécuteurs*.
2. *Lettres de Symmaque*, livre X, lett. 54.

« Quelle chose peut mieux nous conduire à la connaissance des Dieux, disait-il, que l'expérience de nos prospérités passées ? Nous devons être fidèles à tant de siècles et suivre nos pères, qui ont suivi si heureusement les leurs. Pensez que Rome vous parle et vous dit : « Grands Princes, Pères de la Patrie, « respectez mes années pendant lesquelles j'ai toujours « observé les cérémonies de mes ancêtres : ce culte a « soumis l'Univers à mes lois; c'est par là qu'Annibal « a été repoussé de mes murailles, et que les Gaulois « l'ont été du Capitole. » C'est pour les Dieux de la Patrie que nous demandons la paix; nous la demandons pour les Dieux indigètes. Nous n'entrons point dans des disputes qui ne conviennent qu'à des gens oisifs, et nous voulons offrir des prières, et non pas des combats. »

Trois auteurs célèbres répondirent à Symmaque : Orose composa son *Histoire* pour prouver qu'il y avait toujours eu dans le Monde d'aussi grands malheurs que ceux dont se plaignaient les Païens; Salvien fit son livre, où il soutint que c'étaient les dérèglements des Chrétiens qui avaient attiré les ravages des Barbares [1]; et saint Augustin fit voir que la Cité du Ciel était différente de cette Cité de la Terre où les anciens Romains, pour quelques vertus humaines, avaient reçu des récompenses aussi vaines que ces vertus [2].

Nous avons dit que, dans les premiers temps, la politique des Romains fut de diviser toutes les puissances qui leur faisaient ombrage. Dans la suite, ils n'y purent réussir. Il fallut souffrir qu'Attila soumît toutes les nations du Nord : il s'étendit depuis le Danube jusqu'au Rhin, détruisit tous les forts et tous les ouvrages qu'on avait faits sur ces fleuves, et rendit les deux empires tributaires.

« Théodose [3], disait-il insolemment, est fils d'un père très noble, aussi bien que moi. Mais, en me

1. *Du Gouvernement de Dieu.*
2. *De la Cité de Dieu.*
3. *Histoire Gothique* et *Relation de l'Ambassade* écrite par Priscus. (C'était Théodose le Jeune.)

payant le tribut, il est déchu de sa noblesse et est devenu mon esclave. Il n'est pas juste qu'il dresse des embûches à son maître, comme un esclave méchant. »

« Il ne convient pas à l'Empereur, disait-il dans une autre occasion, d'être menteur. Il a promis à un de mes sujets de lui donner en mariage la fille de Saturnilus. S'il ne veut pas tenir sa parole, je lui déclare la guerre; s'il ne le peut pas, et qu'il soit dans cet Etat qu'on ose lui désobéir, je marche à son secours. »

Il ne faut pas croire que ce fût par modération qu'Attila laissa subsister les Romains : il suivait les mœurs de sa nation, qui le portaient à soumettre les peuples, et non pas à les conquérir. Ce prince, dans sa maison de bois, où nous le représente Priscus [1], maître de toutes les nations barbares [2] et, en quelque façon, de presque toutes celles qui étaient policées, était un des grands monarques dont l'histoire ait jamais parlé.

On voyait à sa cour les ambassadeurs des Romains d'Orient et de ceux d'Occident, qui venaient recevoir ses lois ou implorer sa clémence. Tantôt il demandait qu'on lui rendît les Huns transfuges ou les esclaves romains qui s'étaient évadés; tantôt il voulait qu'on lui livrât quelque ministre de l'Empereur. Il avait mis sur l'empire d'Orient un tribut de deux mille cent livres d'or; il recevait les appointements de général des armées romaines; il envoyait à Constantinople ceux qu'il voulait récompenser, afin qu'on les comblât de biens, faisant un trafic continuel de la frayeur des Romains.

Il était craint de ses sujets, et il ne paraît pas qu'il en fût haï [3]. Prodigieusement fier et, cependant, rusé; ardent dans sa colère, mais sachant pardonner ou différer la punition suivant qu'il convenait à ses intérêts; ne faisant jamais la guerre quand la paix pouvait

---

1. *Hist. Gothique : Hæ sedes regis barbariem totam tenentis, hæc captis civitatibus habitacula præponebat.* (Jornandès, *De Reb. Geticis.*)

2. Il paraît, par la *Relation* de Priscus, qu'on pensait à la cour d'Attila à soumettre encore les Perses.

3. Il faut consulter, sur le caractère de ce prince et les mœurs de sa cour, Jornandès et Priscus.

lui donner assez d'avantages; fidèlement servi des rois mêmes qui étaient sous sa dépendance : il avait gardé pour lui seul l'ancienne simplicité des mœurs des Huns. Du reste, on ne peut guère louer sur la bravoure le chef d'une nation où les enfants entraient en fureur au récit des beaux faits d'armes de leurs pères, et où les pères versaient des larmes parce qu'ils ne pouvaient pas imiter leurs enfants.

Après sa mort, toutes les nations barbares se redivisèrent. Mais les Romains étaient si faibles qu'il n'y avait pas de si petit peuple qui ne pût leur nuire.

Ce ne fut pas une certaine invasion qui perdit l'Empire, ce furent toutes les invasions. Depuis celle qui fut si générale sous Gallus, il sembla rétabli, parce qu'il n'avait point perdu de terrain. Mais il alla, de degrés en degrés, de la décadence à sa chute, jusqu'à ce qu'il s'affaissât tout à coup sous Arcadius et Honorius.

En vain, on avait rechassé les Barbares dans leur pays : ils y seraient tout de même rentrés pour mettre en sûreté leur butin. En vain, on les extermina : les villes n'étaient pas moins saccagées; les villages, brûlés; les familles, tuées ou dispersées [1].

Lorsqu'une province avait été ravagée, les Barbares qui succédaient, n'y trouvant plus rien, devaient passer à une autre. On ne ravagea au commencement que la Thrace, la Mysie, la Pannonie; quand ces pays furent dévastés, on ruina la Macédoine, la Thessalie, la Grèce; de là, il fallut aller aux Noriques. L'Empire, c'est-à-dire le pays habité, se rétrécissait toujours, et l'Italie devenait frontière.

La raison pourquoi il ne se fit point sous Gallus et Gallien d'établissement de Barbares, c'est qu'ils trouvaient encore de quoi piller.

Ainsi, lorsque les Normands, images des conquérants de l'Empire, eurent, pendant plusieurs siècles, ravagé la France, ne trouvant plus rien à prendre, ils

1. C'était une nation bien destructive que celle des Goths : ils avaient détruit tous les laboureurs dans la Thrace et coupé les mains à tous ceux qui menaient les chariots. (*Hist. Byzant.* de Malchus, dans l'*Extrait des Ambassades.*)

acceptèrent une province qui était entièrement déserte [1], et se la partagèrent.

La Scythie, dans ces temps-là, étant presque toute inculte [2], les peuples y étaient sujets à des famines fréquentes; ils subsistaient en partie par un commerce avec les Romains, qui leur portaient des vivres des provinces voisines du Danube [3]. Les Barbares donnaient en retour les choses qu'ils avaient pillées, les prisonniers qu'ils avaient faits, l'or et l'argent qu'ils recevaient pour la paix. Mais, lorsqu'on ne put plus leur payer des tributs assez forts pour les faire subsister, ils furent forcés de s'établir [4].

L'empire d'Occident fut le premier abattu; en voici les raisons.

Les Barbares, ayant passé le Danube, trouvaient à leur gauche le Bosphore, Constantinople et toutes les forces de l'empire d'Orient qui les arrêtaient. Cela faisait qu'ils se tournaient à main droite, du côté de l'Illyrie, et se poussaient vers l'occident. Il se fit un reflux de nations et un transport de peuples de ce côté-là. Les passages de l'Asie étant mieux gardés, tout refoulait vers l'Europe; au lieu que, dans la première invasion, sous Gallus, les forces des Barbares se partagèrent.

L'Empire ayant été réellement divisé, les Empereurs d'Orient, qui avaient des alliances avec les Barbares,

---

1. Voyez, dans les chroniques recueillies par André du Chesne, l'état de cette province vers la fin du neuvième et le commencement du dixième siècle. (*Script. Normann. Hist. veteres.*)

2. Les Goths, comme nous avons dit, ne cultivaient point la terre. — Les Vandales les appelaient *Trulles*, du nom d'une petite mesure, parce que, dans une famine, ils leur vendirent fort cher une pareille mesure de blé. (Olympiodore, dans la *Bibliothèque de Photien*, liv. XXX.)

3. On voit dans l'histoire de Priscus qu'il y avait des marchés établis par les traités sur les bords du Danube.

4. Quand les Goths envoyèrent prier Zénon de recevoir dans son alliance Theuderic, fils de Triarius, aux conditions qu'il avait accordées à Theuderic, fils de Balamer, le Sénat consulté répondit que les revenus de l'Etat n'étaient pas suffisants pour nourrir deux peuples goths, et qu'il fallait choisir de l'amitié de l'un des deux. (*Hist.* de Malchus, dans l'*Extrait des Ambassades.*)

ne voulurent pas les rompre pour secourir ceux d'Occident. Cette division dans l'administration, dit Priscus [1], fut très préjudiciable aux affaires d'Occident. Ainsi les Romains d'Orient refusèrent-ils à ceux d'Occident une armée navale, à cause de leur alliance avec les Vandales [2]. Les Visigoths, ayant fait alliance avec Arcadius, entrèrent en Occident, et Honorius fut obligé de s'enfuir à Ravenne [3]. Enfin, Zénon, pour se défaire de Théodoric, le persuada d'aller attaquer l'Italie, qu'Alaric avait déjà ravagée.

Il y avait une alliance [4] très étroite entre Attila et Genséric, roi des Vandales. Ce dernier craignait les Goths [5]; il avait marié son fils avec la fille du roi des Goths, et, lui ayant ensuite fait couper le nez, il l'avait renvoyée; il s'unit donc avec Attila. Les deux empires, comme enchaînés par ces deux princes, n'osaient se secourir. La situation de celui d'Occident fut surtout déplorable : il n'avait point de forces de mer; elles étaient toutes en Orient [6], en Egypte, Chypre, Phénicie, Ionie, Grèce, seuls pays où il y eut alors quelque commerce. Les Vandales et d'autres peuples attaquaient partout les côtes d'Occident; il vint une ambassade des Italiens à Constantinople, dit Priscus, pour faire savoir qu'il était impossible que les affaires se soutinssent sans une réconciliation avec les Vandales [7].

Ceux qui gouvernaient en Occident ne manquèrent pas de politique. Ils jugèrent qu'il fallait sauver l'Italie, qui était en quelque façon la tête et en quelque façon le cœur de l'Empire. On fit passer les Barbares aux extrémités, et on les y plaça. Le dessein était bien conçu; il fut bien exécuté. Ces nations ne demandaient que la subsistance : on leur donnait les plaines; on se

1. Liv. II.
2. Priscus, liv. II.
3. Procope, *Guerre des Vandales*.
4. Priscus, liv. II.
5. Voyez Jornandès, *De Reb. Get.* chap. XXXVI.
6. Cela parut surtout dans la guerre de Constantin et de Licinius.
7. Priscus. liv. II.

réservait les pays montagneux, les passages des rivières, les défilés, les places sur les grands fleuves : on gardait la souveraineté. Il y a apparence que ces peuples auraient été forcés de devenir Romains, et la facilité avec laquelle ces destructeurs furent eux-mêmes détruits par les Francs, par les Grecs, par les Maures, justifie assez cette pensée. Tout ce système fut renversé par une révolution plus fatale que toutes les autres. L'armée d'Italie, composée d'étrangers, exigea ce qu'on avait accordé à des nations plus étrangères encore : elle forma, sous Odoacer, une aristocratie, qui se donna le tiers des terres de l'Italie, et ce fut le coup mortel porté à cet empire.

Parmi tant de malheurs, on cherche avec une curiosité triste le destin de la ville de Rome. Elle était, pour ainsi dire, sans défense; elle pouvait être aisément affamée; l'étendue de ses murailles faisait qu'il était très difficile de les garder; comme elle était située dans une plaine, on pouvait aisément la forcer : il n'y avait point de ressource dans le Peuple, qui en était extrêmement diminué. Les Empereurs furent obligés de se retirer à Ravenne, ville autrefois défendue par la mer, comme Venise l'est aujourd'hui.

Le peuple romain, presque toujours abandonné de ses souverains, commença à le devenir et à faire des traités pour sa conservation[1]; ce qui est le moyen le plus légitime d'acquérir la souveraine puissance. C'est ainsi que l'Armorique et la Bretagne commencèrent à vivre sous leurs propres lois[2].

Telle fut la fin de l'empire d'Occident. Rome s'était agrandie parce qu'elle n'avait eu que des guerres successives : chaque nation, par un bonheur inconcevable, ne l'attaquant que quand l'autre avait été ruinée. Rome fut détruite parce que toutes les nations l'attaquèrent à la fois et pénétrèrent partout.

1. Du temps d'Honorius, Alaric, qui assiégeait Rome, obligea cette ville à prendre son alliance même contre l'Empereur, qui ne put s'y opposer. Procope, *Guerre des Goths*, liv. I. Voyez Zosime, liv. VI.

2. Zosime, liv. VI.

CHAPITRE XX

I. DES CONQUÊTES DE JUSTINIEN
II. DE SON GOUVERNEMENT

Comme tous ces peuples entraient pêle-mêle dans l'Empire, ils s'incommodaient réciproquement, et toute la politique de ces temps-là fut de les armer les uns contre les autres; ce qui était aisé, à cause de leur férocité et de leur avarice. Ils s'entre-détruisirent pour la plupart avant d'avoir pu s'établir, et cela fit que l'empire d'Orient subsista encore du temps.

D'ailleurs, le Nord s'épuisa lui-même, et l'on n'en vit plus sortir ces armées innombrables qui parurent d'abord : car, après les premières invasions des Goths et des Huns, surtout depuis la mort d'Attila, ceux-ci et les peuples qui les suivirent attaquèrent avec moins de forces.

Lorsque ces nations, qui s'étaient assemblées en corps d'armée, se furent dispersées en peuples, elles s'affaiblirent beaucoup : répandues dans les divers lieux de leurs conquêtes, elles furent elles-mêmes exposées aux invasions.

Ce fut dans ces circonstances que Justinien entreprit de reconquérir l'Afrique et l'Italie et fit ce que nos Français exécutèrent aussi heureusement contre les Visigoths, les Bourguignons, les Lombards et les Sarrasins.

Lorsque la Religion chrétienne fut apportée aux Barbares, la secte arienne était en quelque façon dominante dans l'Empire. Valens leur envoya des prêtres ariens, qui furent leurs premiers apôtres. Or, dans l'intervalle qu'il y eut entre leur conversion et leur établissement, cette secte fut en quelque façon détruite chez les Romains. Les Barbares ariens, ayant trouvé tout le pays orthodoxe, n'en purent jamais gagner l'affection, et il fut facile aux Empereurs de les troubler.

D'ailleurs, ces Barbares, dont l'art et le génie n'étaient guère d'attaquer les villes et encore moins de les défendre, en laissèrent tomber les murailles en ruine. Procope nous apprend que Bélisaire trouva celles d'Italie en cet état. Celles d'Afrique avaient été démantelées par Genséric [1], comme celles d'Espagne le furent dans la suite par Vitisa, dans l'idée de s'assurer de ses habitants [2].

La plupart de ces peuples du Nord, établis dans les pays du Midi, en prirent d'abord la mollesse et devinrent incapables des fatigues de la guerre [3]. Les Vandales languissaient dans la volupté : une table délicate, des habits efféminés, des bains, la musique, la danse, les jardins, les théâtres, leur étaient devenus nécessaires.

Ils ne donnaient plus d'inquiétude aux Romains [4], dit Malchus [5], depuis qu'ils avaient cessé d'entretenir les armées que Genséric tenait toujours prêtes, avec lesquelles il prévenait ses ennemis et étonnait tout le monde par la facilité de ses entreprises.

La cavalerie des Romains était très exercée à tirer de l'arc; mais celle des Goths et des Vandales ne se servait que de l'épée et de la lance, et ne pouvait combattre de loin [6]. C'est à cette différence que Bélisaire attribuait une partie de ses succès.

Les Romains (surtout sous Justinien) tirèrent de grands services des Huns, peuples dont étaient sortis les Parthes, et qui combattaient comme eux. Depuis qu'ils eurent perdu leur puissance par la défaite d'Attila

1. Procope, *Guerre des Vandales*, liv. I.
2. Mariana, *Hist. d'Esp.*, liv. VI, chap. XIX.
3. Procope, *Guerre des Vandales*, liv. II.
4. Du temps d'Honoric.
5. *Hist. Byzant.*, dans l'*Extrait des Ambassades*.
6. Voyez Procope, *Guerre des Vandales*, liv. I, et le même auteur, *Guerre des Goths*, liv. I. Les archers goths étaient à pied; ils étaient peu instruits.

et les divisions que le grand nombre de ses enfants fit naître, ils servirent les Romains en qualité d'auxiliaires, et ils formèrent leur meilleure cavalerie.

Toutes ces nations barbares se distinguaient chacune par leur manière particulière de combattre et de s'armer [1]. Les Goths et les Vandales étaient redoutables l'épée à la main; les Huns étaient des archers admirables; les Suèves, de bons hommes d'infanterie; les Alains étaient pesamment armés; et les Hérules étaient une troupe légère. Les Romains prenaient dans toutes ces nations les divers corps de troupes qui convenaient à leurs desseins, et combattaient contre une seule avec les avantages de toutes les autres.

Il est singulier que les nations les plus faibles aient été celles qui firent de plus grands établissements : on se tromperait beaucoup si l'on jugeait de leurs forces par leurs conquêtes. Dans cette longue suite d'incursions, les peuples barbares ou plutôt les essaims sortis d'eux détruisaient ou étaient détruits; tout dépendait des circonstances, et, pendant qu'une grande nation était combattue ou arrêtée, une troupe d'aventuriers qui trouvaient un pays ouvert y faisaient des ravages effroyables. Les Goths, que le désavantage de leurs armes fit fuir devant tant de nations, s'établirent en Italie, en Gaule et en Espagne. Les Vandales, quittant l'Espagne par faiblesse, passèrent en Afrique, où ils fondèrent un grand empire.

Justinien ne put équiper contre les Vandales que cinquante vaisseaux, et, quand Bélisaire débarqua, il n'avait que cinq mille soldats [2]. C'était une entreprise bien hardie, et Léon, qui avait autrefois envoyé contre eux une flotte composée de tous les vaisseaux de l'Orient, sur laquelle il avait cent mille hommes, n'avait pas conquis l'Afrique et avait pensé perdre l'Empire.

Ces grandes flottes, non plus que les grandes armées de terre, n'ont guère jamais réussi. Comme elles

---

1. Un passage remarquable de Jornandès nous donne toutes ces différences : c'est à l'occasion de la bataille que les Gépides donnèrent aux enfants d'Attila.
2. Procope, *Guerre des Goths*, liv. II.

épuisent un Etat si l'expédition est longue, ou que quelque malheur leur arrive, elles ne peuvent être secourues ni réparées; si une partie se perd, ce qui reste n'est rien, parce que les vaisseaux de guerre, ceux de transport, la cavalerie, l'infanterie, les munitions, enfin, les diverses parties dépendent du tout ensemble. La lenteur de l'entreprise fait qu'on trouve toujours des ennemis préparés. Outre qu'il est rare que l'expédition se fasse jamais dans une saison commode, on tombe dans le temps des orages, tant de choses n'étant presque jamais prêtes que quelques mois plus tard qu'on ne se l'était promis.

Bélisaire envahit l'Afrique, et ce qui lui servit beaucoup, c'est qu'il tira de Sicile une grande quantité de provisions, en conséquence d'un traité fait avec Amalasonte, reine des Goths. Lorsqu'il fut envoyé pour attaquer l'Italie, voyant que les Goths tiraient leur subsistance de la Sicile, il commença par la conquérir; il affama ses ennemis et se trouva dans l'abondance de toutes choses.

Bélisaire prit Carthage, Rome et Ravenne, et envoya les rois des Goths et des Vandales captifs à Constantinople, où l'on vit après tant de temps les anciens triomphes renouvelés [1].

On peut trouver dans les qualités de ce grand homme les principales causes de ses succès [2]. Avec un général qui avait toutes les maximes des premiers Romains, il se forma une armée telle que les anciennes armées romaines.

Les grandes vertus se cachent ou se perdent ordinairement dans la servitude; mais le gouvernement tyrannique de Justinien ne put opprimer la grandeur de cette âme, ni la supériorité de ce génie.

L'eunuque Narsès fut encore donné à ce règne pour le rendre illustre. Elevé dans le Palais, il avait plus la confiance de l'Empereur : car les Princes regardent toujours leurs courtisans comme leurs plus fidèles sujets.

1. Justinien ne lui accorda que le triomphe de l'Afrique.
2. Voyez Suidas, à l'article *Bélisaire*.

Mais la mauvaise conduite de Justinien, ses profusions, ses vexations, ses rapines, sa fureur de bâtir, de changer, de réformer, son inconstance dans ses desseins, un règne dur et faible, devenu plus incommode par une longue vieillesse, furent des malheurs réels, mêlés à des succès inutiles et une gloire vaine.

Ces conquêtes, qui avaient pour cause, non la force de l'Empire, mais de certaines circonstances particulières, perdirent tout : pendant qu'on y occupait les armées, de nouveaux peuples passèrent le Danube, désolèrent l'Illyrie, la Macédoine et la Grèce, et les Perses, dans quatre invasions, firent à l'Orient des plaies incurables [1].

Plus ces conquêtes furent rapides, moins elles eurent un établissement solide : l'Italie et l'Afrique furent à peine conquises qu'il fallut les reconquérir.

Justinien avait pris sur le théâtre une femme qui s'y était longtemps prostituée [2]. Elle le gouverna avec un empire qui n'a point d'exemple dans les histoires, et, mettant sans cesse dans les affaires les passions et les fantaisies de son sexe, elle corrompit les victoires et les succès les plus heureux.

En Orient, on a de tout temps multiplié l'usage des femmes, pour leur ôter l'ascendant prodigieux qu'elles ont sur nous dans ces climats. Mais, à Constantinople, la loi d'une seule femme donna à ce sexe l'empire; ce qui mit quelquefois de la faiblesse dans le gouvernement.

Le peuple de Constantinople était de tout temps divisé en deux factions : celle des Bleus et celle des Verts. Elles tiraient leur origine de l'affection que l'on prend dans les théâtres pour de certains acteurs plutôt que pour d'autres : dans les jeux du cirque, les chariots dont les cochers étaient habillés de vert disputaient le prix à ceux qui étaient habillés de bleu, et chacun y prenait intérêt jusqu'à la fureur.

Ces deux factions, répandues dans toutes les villes

1. Les deux empires se ravagèrent d'autant plus qu'on n'espérait pas conserver ce qu'on avait conquis.
2. L'impératrice Théodora.

de l'Empire, étaient plus ou moins furieuses à proportion de la grandeur des villes, c'est-à-dire de l'oisiveté d'une grande partie du Peuple.

Mais les divisions, toujours nécessaires dans un gouvernement républicain pour le maintenir, ne pouvaient être que fatales à celui des Empereurs, parce qu'elles ne produisaient que le changement du Souverain, et non le rétablissement des lois et la cessation des abus.

Justinien, qui favorisa les Bleus et refusa toute justice aux Verts, aigrit les deux factions et, par conséquent, les fortifia[1].

Elles allèrent jusqu'à anéantir l'autorité des magistrats : les Bleus ne craignaient point les lois, parce que l'Empereur les protégeait contre elles; les Verts cessèrent de les respecter, parce qu'elles ne pouvaient plus les défendre[2].

Tous les liens d'amitié, de parenté, de devoir, de reconnaissance, furent ôtés : les familles s'entre-détruisirent; tout scélérat qui voulut faire un crime fut de la faction des Bleus; tout homme qui fut volé ou assassiné fut de celle des Verts.

Un gouvernement si peu sensé était encore plus cruel : l'Empereur, non content de faire à ses sujets une injustice générale en les accablant d'impôts excessifs, les désolait par toutes sortes de tyrannies dans leurs affaires particulières.

Je ne serais point naturellement porté à croire tout ce que Procope nous dit là-dessus dans son *Histoire secrète*, parce que les éloges magnifiques qu'il a faits de ce prince dans ses autres ouvrages affaiblissent son témoignage dans celui-ci, où il nous le dépeint comme le plus stupide et le plus cruel des tyrans.

Mais j'avoue que deux choses font que je suis pour l'*Histoire secrète*.

---

1. Cette maladie était ancienne. Suétone dit que Caligula, attaché à la faction des Verts, haïssait le Peuple parce qu'il applaudissait à l'autre.
2. Pour prendre une idée de l'esprit de ces temps-là, il faut voir Théophanès, qui rapporte une longue conversation qu'il y eut au Théâtre entre les Verts et l'Empereur.

La première, c'est qu'elle est mieux liée avec l'étonnante faiblesse où se trouva cet empire à la fin de ce règne et dans les suivants.

L'autre est un monument qui existe encore parmi nous : ce sont les lois de cet empereur, où l'on voit, dans le cours de quelques années, la jurisprudence varier davantage qu'elle n'a fait dans les trois cents dernières années de notre monarchie.

Ces variations sont la plupart sur des choses de si petite importance qu'on ne voit aucune raison qui eût dû porter un législateur à les faire [1], à moins qu'on n'explique ceci par l'*Histoire secrète*, et qu'on ne dise que ce prince vendait également ses jugements et ses lois.

Mais ce qui fit le plus de tort à l'état politique du gouvernement fut le projet qu'il conçut de réduire tous les hommes à une même opinion sur les matières de religion, dans des circonstances qui rendaient son zèle entièrement indiscret.

Comme les anciens Romains fortifièrent leur empire en y laissant toute sorte de culte, dans la suite on le réduisit à rien en coupant, l'une après l'autre, les sectes qui ne dominaient pas.

Ces sectes étaient des nations entières. Les unes, après qu'elles avaient été conquises par les Romains, avaient conservé leur ancienne religion, comme les Samaritains et les Juifs. Les autres s'étaient répandues dans un pays, comme les sectateurs de Montan dans la Phrygie; les Manichéens, les Sabatiens, les Ariens, dans d'autres provinces. Outre qu'une grande partie des gens de la campagne étaient encore idolâtres et entêtés d'une religion grossière comme eux-mêmes.

Justinien, qui détruisit ces sectes par l'épée ou par ses lois, et qui, les obligeant à se révolter, s'obligea à les exterminer, rendit incultes plusieurs provinces : il crut avoir augmenté le nombre des fidèles; il n'avait fait que diminuer celui des hommes.

Procope nous apprend que, par la destruction des Samaritains, la Palestine devint déserte, et ce qui rend

1. Voyez les *Novelles* de Justinien.

ce fait singulier, c'est qu'on affaiblit l'Empire, par zèle pour la Religion, du côté par où, quelques règnes après, les Arabes pénétrèrent pour la détruire.

Ce qu'il y avait de désespérant, c'est que, pendant que l'Empereur portait si loin l'intolérance, il ne convenait pas lui-même avec l'Impératrice sur les points les plus essentiels : il suivait le concile de Chalcédoine, et l'Impératrice favorisait ceux qui y étaient opposés, soit qu'ils fussent de bonne foi, dit Evagre[1], soit qu'ils le fissent à dessein.

Lorsqu'on lit Procope sur les édifices de Justinien, et qu'on voit les places et les forts que ce prince fit élever partout, il vient toujours dans l'esprit une idée, mais bien fausse, d'un Etat florissant.

D'abord, les Romains n'avaient point de places : ils mettaient toute leur confiance dans leurs armées, qu'ils plaçaient le long des fleuves, où ils élevaient des tours de distance en distance, pour loger les soldats.

Mais, lorsqu'on n'eut plus que de mauvaises armées, que souvent même on n'en eut point du tout, la frontière ne défendant plus l'intérieur, il fallut le fortifier[2], et alors on eut plus de places et moins de forces, plus de retraites et moins de sûreté. La campagne, n'étant plus habitable qu'autour des places fortes, on en bâtit de toutes parts. Il en était comme de la France du temps des Normands[3], qui n'a jamais été si faible que lorsque tous ses villages étaient entourés de murs.

Ainsi toutes ces listes de noms des forts que Justinien fit bâtir, dont Procope couvre des pages entières, ne sont que des monuments de la faiblesse de l'Empire.

---

1. Liv. IV, chap. v.
2. Auguste avait établi neuf frontières ou marches. Sous les empereurs suivants, le nombre en augmenta. Les Barbares se montraient là où ils n'avaient point encore paru. Et Dion (liv. LV) rapporte que de son temps, sous l'empire d'Alexandre, il y en avait treize. On voit par la *Notice de l'Empire*, écrite depuis Arcadius et Honorius, que, dans le seul empire d'Orient, il y en avait quinze. Le nombre en augmenta toujours : la Pamphylie, la Lycaonie, la Pisidie, devinrent des marches, et tout l'Empire fut couvert de fortifications. Aurélien avait été obligé de fortifier Rome.
3. Et des Anglais.

CHAPITRE XXI

DÉSORDRES DE L'EMPIRE D'ORIENT

Dans ce temps-là, les Perses étaient dans une situation plus heureuse que les Romains. Ils craignaient peu les peuples du Nord [1], parce qu'une partie du Mont Taurus, entre la Mer Caspienne et le Pont-Euxin, les en séparait, et qu'ils gardaient un passage fort étroit, fermé par une porte [2], qui était le seul endroit par où la cavalerie pouvait passer. Partout ailleurs, ces Barbares étaient obligés de descendre par des précipices et de quitter leurs chevaux, qui faisaient toute leur force [3]; mais ils étaient encore arrêtés par l'Araxe, rivière profonde, qui coule de l'ouest à l'est, et dont on défendait aisément les passages.

De plus, les Perses étaient tranquilles du côté de l'orient; au midi, ils étaient bornés par la mer. Il leur était facile d'entretenir la division parmi les princes arabes, qui ne songeaient qu'à se piller les uns les autres. Ils n'avaient donc proprement d'ennemis que les Romains. « Nous savons, disait un ambassadeur de Hormisdas [4], que les Romains sont occupés à plusieurs guerres et ont à combattre contre presque toutes les nations. Ils savent, au contraire, que nous n'avons de guerre que contre eux. »

Autant que les Romains avaient négligé l'art militaire, autant les Perses l'avaient-ils cultivé. « Les Perses, disait Bélisaire à ses soldats, ne vous surpassent point

1. Les Huns.
2. Les Portes Caspiennes.
3. Procope, *Guerre des Perses*, liv. I.
4. *Ambassades* de Ménandre.

en courage; ils n'ont sur vous que l'avantage de la discipline. »

Ils prirent, dans les négociations, la même supériorité que dans la guerre. Sous prétexte qu'ils tenaient une garnison aux Portes Caspiennes, ils demandaient un tribut aux Romains; comme si chaque peuple n'avait pas ses frontières à garder. Ils se faisaient payer pour la paix, pour les trêves, pour les suspensions d'armes, pour le temps qu'on employait à négocier, pour celui qu'on avait passé à faire la guerre.

Les Avares ayant traversé le Danube, les Romains, qui, la plupart du temps, n'avaient point de troupes à leur opposer, occupés contre les Perses lorsqu'il aurait fallu combattre les Avares, et contre les Avares quand il aurait fallu arrêter les Perses, furent encore forcés de se soumettre à un tribut, et la majesté de l'Empire fut flétrie chez toutes les nations.

Justin, Tibère et Maurice travaillèrent avec soin à défendre l'Empire. Ce dernier avait des vertus; mais elles étaient ternies par une avarice presque inconcevable dans un grand prince.

Le roi des Avares offrit à Maurice de lui rendre les prisonniers qu'il avait faits moyennant une demi-pièce d'argent par tête. Sur son refus, il les fit égorger. L'armée romaine, indignée, se révolta, et, les Verts s'étant soulevés en même temps, un centenier nommé *Phocas* fut élevé à l'empire et fit tuer Maurice et ses enfants.

L'histoire de l'Empire grec — c'est ainsi que nous nommerons dorénavant l'Empire romain — n'est plus qu'un tissu de révoltes, de séditions et de perfidies. Les sujets n'avaient pas seulement l'idée de la fidélité que l'on doit aux Princes, et la succession des Empereurs fut si interrompue que le titre de *Porphyrogénète*, c'est-à-dire né dans l'appartement où accouchaient les Impératrices, fut un titre distinctif, que peu de princes des diverses familles impériales purent porter.

Toutes les voies furent bonnes pour parvenir à l'empire : on y alla par les soldats, par le Clergé, par le Sénat, par les paysans, par le peuple de Constantinople, par celui des autres villes.

La Religion chrétienne étant devenue dominante dans l'Empire, il s'éleva successivement plusieurs hérésies qu'il fallut condamner. Arius ayant nié la divinité du Verbe; les Macédoniens, celle du Saint-Esprit; Nestorius, l'unité de la personne de Jésus-Christ; Eutychès, ses deux natures; les Monothélites, ses deux volontés : il fallut assembler des conciles contre eux. Mais les décisions n'en ayant pas été d'abord universellement reçues, plusieurs empereurs, séduits, revinrent aux erreurs condamnées. Et, comme il n'y a jamais eu de nation qui ait porté une haine si violente aux hérétiques que les Grecs, qui se croyaient souillés lorsqu'ils parlaient à un hérétique ou habitaient avec lui, il arriva que plusieurs empereurs perdirent l'affection de leurs sujets, et les peuples s'accoutumèrent à penser que des princes si souvent rebelles à Dieu n'avaient pu être choisis par la Providence pour les gouverner.

Une certaine opinion prise de cette idée qu'il ne fallait pas répandre le sang des Chrétiens, laquelle s'établit de plus en plus lorsque les Mahométans eurent paru, fit que les crimes qui n'intéressaient pas directement la Religion furent faiblement punis : on se contenta de crever les yeux [1], ou de couper le nez ou les cheveux, ou de mutiler de quelque manière ceux qui avaient excité quelque révolte ou attenté à la personne du Prince. Des actions pareilles purent se commettre sans danger et même sans courage.

Un certain respect pour les ornements impériaux fit que l'on jeta d'abord les yeux sur ceux qui osèrent s'en revêtir. C'était un crime de porter ou d'avoir chez soi des étoffes de pourpre. Mais, dès qu'un homme s'en vêtissait, il était d'abord suivi, parce que le respect était plus attaché à l'habit qu'à la personne.

L'ambition était encore irritée par l'étrange manie de ces temps-là, n'y ayant guère d'homme considérable qui n'eût par-devers lui quelque prédiction qui lui promettait l'empire.

---

1. Zénon contribua beaucoup à établir ce relâchement. Voyez Malchus, *Hist. Byzant.*, dans l'*Extrait des Ambassades*.

Comme les maladies de l'esprit ne se guérissent guère [1], l'astrologie judiciaire et l'art de prédire par des objets vus dans l'eau d'un bassin avaient succédé, chez les Chrétiens, aux divinations par les entrailles des victimes ou le vol des oiseaux, abolies avec le Paganisme. Des promesses vaines furent le motif de la plupart des entreprises téméraires des particuliers, comme elles devinrent la sagesse du conseil des Princes.

Les malheurs de l'Empire croissant tous les jours, on fut naturellement porté à attribuer les mauvais succès dans la guerre et les traités honteux dans la paix à la mauvaise conduite de ceux qui gouvernaient.

Les révolutions mêmes firent les révolutions, et l'effet devint lui-même la cause. Comme les Grecs avaient vu passer successivement tant de diverses familles sur le trône, ils n'étaient attachés à aucune, et, la Fortune ayant pris des empereurs dans toutes les conditions, il n'y avait pas de naissance assez basse, ni de mérite si mince qui pût ôter l'espérance.

Plusieurs exemples reçus dans la Nation en formèrent l'esprit général et firent les mœurs, qui règnent aussi impérieusement que les lois.

Il semble que les grandes entreprises soient parmi nous plus difficiles à mener que chez les Anciens. On ne peut guère les cacher, parce que la communication est telle aujourd'hui entre les nations que chaque prince a des ministres dans toutes les cours et peut avoir des traîtres dans tous les cabinets.

L'invention des postes fait que les nouvelles volent et arrivent de toutes parts.

Comme les grandes entreprises ne peuvent se faire sans argent, et que, depuis l'invention des lettres de change, les négociants en sont les maîtres, leurs affaires sont très souvent liées avec les secrets de l'Etat et ils ne négligent rien pour les pénétrer.

Des variations dans le change sans une cause connue font que bien des gens la cherchent et la trouvent à la fin.

L'invention de l'imprimerie, qui a mis les livres dans

1. Voyez Nicétas, *Vie d'Andronic Comnène*.

les mains de tout le monde, celle de la gravure, qui a rendu les cartes géographiques si communes, enfin, l'établissement des papiers politiques, font assez connaître à chacun les intérêts généraux pour pouvoir plus aisément être éclairci sur les faits secrets.

Les conspirations dans l'Etat sont devenues difficiles, parce que, depuis l'invention des postes, tous les secrets particuliers sont dans le pouvoir du Public.

Les Princes peuvent agir avec promptitude, parce qu'ils ont les forces de l'Etat dans leurs mains; les conspirateurs sont obligés d'agir lentement, parce que tout leur manque. Mais, à présent que tout s'éclaircit avec plus de facilité et de promptitude, pour peu que ceux-ci perdent de temps à s'arranger, ils sont découverts.

CHAPITRE XXII

FAIBLESSE DE L'EMPIRE D'ORIENT

Phocas, dans la confusion des choses, étant mal affermi, Héraclius vint d'Afrique et le fit mourir; il trouva les provinces envahies et les légions détruites.

A peine avait-il donné quelque remède à ces maux que les Arabes sortirent de leur pays pour étendre la religion et l'empire que Mahomet avait fondé d'une même main.

Jamais on ne vit des progrès si rapides : ils conquirent d'abord la Syrie, la Palestine, l'Egypte, l'Afrique, et envahirent la Perse.

Dieu permit que sa religion cessât en tant de lieux d'être dominante, non pas qu'il l'eût abandonnée, mais parce que, qu'elle soit dans la gloire ou dans l'humiliation extérieure, elle est toujours également propre à produire son effet naturel, qui est de sanctifier.

La prospérité de la Religion est différente de celle des empires. Un auteur célèbre disait qu'il était bien aise d'être malade, parce que la maladie est le vrai état du Chrétien. On pourrait dire de même que les humiliations de l'Eglise, sa dispersion, la destruction de ses temples, les souffrances de ses martyrs, sont le temps de sa gloire, et que, lorsqu'aux yeux du monde elle paraît triompher, c'est le temps ordinaire de son abaissement.

Pour expliquer cet événement fameux de la conquête de tant de pays par les Arabes, il ne faut pas avoir recours au seul enthousiasme. Les Sarrasins étaient depuis longtemps distingués parmi les auxiliaires des Romains et des Perses; les Osroëniens et eux étaient

les meilleurs hommes de trait qu'il y eût au Monde :
Sévère, Alexandre et Maximin en avaient engagé à
leur service autant qu'ils avaient pu, et s'en étaient
servis avec un grand succès contre les Germains, qui
désolaient de loin; sous Valens, les Goths ne pouvaient
leur résister [1]; enfin, ils étaient dans ces temps-là la
meilleure cavalerie du Monde.

Nous avons dit que chez les Romains les légions
d'Europe valaient mieux que celles d'Asie. C'était tout
le contraire pour la cavalerie : je parle de celle des
Parthes, des Osroëniens et des Sarrasins; et c'est ce qui
arrêta les conquêtes des Romains, parce que, depuis
Antiochus, un nouveau peuple tartare, dont la cavalerie était la meilleure du Monde, s'empara de la
Haute-Asie.

Cette cavalerie était pesante [2], et celle d'Europe
était légère; c'est aujourd'hui tout le contraire. La
Hollande et la Frise n'étaient point, pour ainsi dire,
encore faites [3], et l'Allemagne était pleine de bois, de
lacs et de marais, où la cavalerie servait peu.

Depuis qu'on a donné un cours aux grands fleuves,
ces marais se sont dissipés, et l'Allemangne a changé
de face. Les ouvrages de Valentinien sur le Necker [4]
et ceux des Romains sur le Rhin ont fait bien des changements [5], et, le commerce s'étant établi, des pays qui
ne produisaient point de chevaux [6] en ont donné, et
on en a fait usage.

Constantin, fils d'Héraclius, ayant été empoisonné,
et son fils Constant, tué en Sicile, Constantin le Barbu,
son fils aîné, lui succéda [7]. Les grands des provinces

---

1. Zosime, liv. IV.
2. Voyez ce que dit Zosime (liv. I) sur la cavalerie d'Aurélien
et celle de Palmyre. Voyez aussi Ammien Marcellin sur la
cavalerie des Perses.
3. C'était, pour la plupart, des terres submergées, que l'art a
rendues propres à être la demeure des hommes.
4. Voyez Ammien Marcellin, liv. XXVII.
5. Le climat n'y est plus aussi froid que le disaient les Anciens.
6. César dit que les chevaux des Germains étaient vilains et
petits (liv. IV, chap. II), et Tacite *(Des Mœurs des Germains)*
dit : *Germania pecorum fœcunda, sed pleraque improcera.*
7. Zonaras, *Vie de Constantin le Barbu.*

d'Orient s'étant assemblés, ils voulurent couronner ses deux autres frères, soutenant que, comme il faut croire en la Trinité, aussi était-il raisonnable d'avoir trois empereurs.

L'histoire grecque est pleine de traits pareils, et, le petit esprit étant parvenu à faire le caractère de la Nation, il n'y eut plus de sagesse dans les entreprises, et l'on vit des troubles sans cause et des révolutions sans motifs.

Une bigoterie universelle abattit les courages et engourdit tout l'Empire. Constantinople est, à proprement parler, le seul pays d'Orient où la Religion chrétienne ait été dominante. Or cette lâcheté, cette paresse, cette mollesse des nations d'Asie, se mêlèrent dans la dévotion même. Entre mille exemples, je ne veux que Philippicus, général de Maurice, qui, étant prêt de donner une bataille, se mit à pleurer [1], dans la considération du grand nombre de gens qui allaient être tués.

Ce sont bien d'autres larmes, celles de ces Arabes [2] qui pleurèrent de douleur de ce que leur général avait fait une trêve qui les empêchait de répandre le sang des Chrétiens.

C'est que la différence est totale entre une armée fanatique et une armée bigote. On le vit, dans nos temps modernes, dans une révolution fameuse, lorsque l'armée de Cromwell était comme celle des Arabes, et les armées d'Irlande et d'Ecosse, comme celle des Grecs.

Une superstition grossière, qui abaisse l'esprit autant que la Religion l'élève, plaça toute la vertu et toute la confiance des hommes dans une ignorante stupidité pour les images, et l'on vit des généraux lever un siège [3] et perdre une ville [4] pour avoir une relique.

La Religion chrétienne dégénéra, sous l'empire grec, au point où elle était de nos jours chez les Mos-

1. Théophylacte, liv. II, chap. III, *Hist. de l'Empereur Maurice.*
2. *Histoire de la Conquête de la Syrie, de la Perse et de l'Egypte par les Sarrasins*, par M. Ockley.
3. Zonare, *Vie de Romain Lacapène.*
4. Nicétas, *Vie de Jean Comnène.*

covites, avant que le czar Pierre 1er eût fait renaître
cette nation et introduit plus de changements dans un
Etat qu'il gouvernait, que les conquérants n'en font
dans ceux qu'ils usurpent.

On peut aisément croire que les Grecs tombèrent
dans une espèce d'idolâtrie. On ne soupçonnera pas
les Italiens ni les Allemands de ce temps-là d'avoir été
peu attachés au culte extérieur. Cependant, lorsque les
historiens grecs parlent du mépris des premiers pour
les reliques et les images, on dirait que ce sont nos
controversistes qui s'échauffent contre Calvin. Quand
les Allemands passèrent pour aller dans la Terre-
Sainte, Nicétas dit que les Arméniens les reçurent
comme amis, parce qu'ils n'adoraient pas les images.
Or, si, dans la manière de penser des Grecs, les Italiens
et les Allemands ne rendaient pas assez de culte aux
images, quelle devait être l'énormité du leur !

Il pensa bien y avoir en Orient à peu près la même
révolution qui arriva, il y a environ deux siècles, en
Occident, lorsqu'au renouvellement des lettres, comme
on commença à sentir les abus et les dérèglements où
l'on était tombé, tout le monde cherchant un remède
au mal, des gens hardis et trop peu dociles déchirèrent
l'Eglise, au lieu de la réformer.

Léon l'Isaurien, Constantin Copronyme, Léon, son
fils, firent la guerre aux images, et, après que le culte
en eut été rétabli par l'impératrice Irène, Léon l'Arménien, Michel le Bègue et Théophile les abolirent
encore. Ces princes crurent n'en pouvoir modérer le
culte qu'en le détruisant ; ils firent la guerre aux
moines [1], qui incommodaient l'Etat, et, prenant toujours les voies extrêmes, ils voulurent les exterminer
par le glaive, au lieu de chercher à les régler.

Les moines [2], accusés d'idolâtrie par les partisans

1. Longtemps avant, Valens avait fait une loi pour les obliger
d'aller à la guerre et fit tuer tous ceux qui n'obéirent pas. (Jornandès, *De Regn. Success.*, et la loi 26, Cod., *De Decur.*)
2. Tout ce qu'on verra ici sur les moines grecs ne porte point
sur leur état : car on ne peut pas dire qu'une chose ne soit pas
bonne parce que, dans de certains temps ou dans quelque pays,
on en a abusé.

des nouvelles opinions, leur donnèrent le change en les accusant à leur tour de magie [1], et, montrant au Peuple les églises dénuées d'images et de tout ce qui avait fait jusque-là l'objet de sa vénération, ils ne lui laissèrent point imaginer qu'elles pussent servir à d'autre usage qu'à sacrifier aux Démons.

Ce qui rendait la querelle sur les images si vive et fit que, dans la suite, des gens sensés ne pouvaient pas proposer un culte modéré, c'est qu'elle était liée à des choses bien tendres : il était question de la puissance, et, les moines l'ayant usurpée, ils ne pouvaient l'augmenter ou la soutenir qu'en ajoutant sans cesse au culte extérieur, dont ils faisaient eux-mêmes partie. Voilà pourquoi les guerres contre les images furent toujours des guerres contre eux, et que, quand ils eurent gagné ce point, leur pouvoir n'eut plus de bornes.

Il arriva pour lors ce que l'on vit quelques siècles après dans la querelle qu'eurent Barlaam et Acyndine contre les moines, et qui tourmenta cet empire jusqu'à sa destruction. On disputait si la lumière qui apparut autour de Jésus-Christ sur le Thabor était créée ou incréée. Dans le fond, les moines ne se souciaient pas plus qu'elle fût l'un que l'autre; mais, comme Barlaam les attaquait directement eux-mêmes, il fallait nécessairement que cette lumière fût incréée.

La guerre que les empereurs iconoclastes déclarèrent aux moines fit que l'on reprit un peu les principes du gouvernement, que l'on employa en faveur du Public les revenus publics, et qu'enfin on ôta au corps de l'Etat ses entraves.

Quand je pense à l'ignorance profonde dans laquelle le clergé grec plongea les laïques, je ne puis m'empêcher de le comparer à ces Scythes dont parle Hérodote [2], qui crevaient les yeux à leurs esclaves afin que rien ne pût les distraire et les empêcher de battre leur lait.

1. Léon le Grammairien, *Vie de Léon l'Arménien. Ibid.*, *Vie de Théophile*. Voyez Suidas, à l'article *Constantin, fils de Léon.*
2. Liv. IV.

L'impératrice Théodora rétablit les images, et les moines recommencèrent à abuser de la piété publique. Ils parvinrent jusqu'à opprimer le clergé séculier même : ils occupèrent tous les grands sièges [1] et exclurent peu à peu tous les ecclésiastiques de l'épiscopat. C'est ce qui rendit ce clergé intolérable, et, si l'on en fait le parallèle avec le clergé latin, si l'on compare la conduite des Papes avec celle des patriarches de Constantinople, on verra des gens aussi sages que les autres étaient peu sensés.

Voici une étrange contradiction de l'esprit humain. Les ministres de la Religion chez les premiers Romains, n'étant pas exclus des charges et de la société civile, s'embarrassèrent peu de ses affaires. Lorsque la Religion chrétienne fut établie, les ecclésiastiques, qui étaient plus séparés des affaires du monde, s'en mêlèrent avec modération. Mais, lorsque, dans la décadence de l'Empire, les moines furent le seul clergé, ces gens, destinés par une profession plus particulière à fuir et à craindre les affaires, embrassèrent toutes les occasions qui purent leur y donner part : ils ne cessèrent de faire du bruit partout et d'agiter ce monde qu'ils avaient quitté.

Aucune affaire d'État, aucune paix, aucune guerre, aucune trêve, aucune négociation, aucun mariage ne se traita que par le ministère des moines : les conseils du Prince en furent remplis, et les assemblées de la Nation, presque toutes composées.

On ne saurait croire quel mal il en résulta : ils affaiblirent l'esprit des Princes et leur firent faire imprudemment même les choses bonnes. Pendant que Basile occupait les soldats de son armée de mer à bâtir une église à saint Michel, il laissa piller la Sicile par les Sarrasins et prendre Syracuse, et Léon, son successeur, qui employa sa flotte au même usage, leur laissa occuper Tauroménie et l'île de Lemnos [2].

Andronic Paléologue abandonna la marine parce

1. Voyez Pachymère, liv. VIII.
2. Zonaras, *Vie de Basile et de Léon*. Nicéphore, *Vie de Basile et de Léon*.

qu'on l'assura que Dieu était si content de son zèle pour la paix de l'Eglise que ses ennemis n'oseraient l'attaquer [1]. Le même craignait que Dieu ne lui demandât compte du temps qu'il employait à gouverner son Etat, et qu'il dérobait aux affaires spirituelles.

Les Grecs, grands parleurs, grands disputeurs, naturellement sophistes, ne cessèrent d'embrouiller la Religion par des controverses. Comme les moines avaient un grand crédit à la Cour, toujours d'autant plus faible qu'elle était plus corrompue, il arrivait que les moines et la Cour se gâtaient réciproquement, et que le mal était dans tous les deux. D'où il suivait que toute l'attention des Empereurs était occupée quelquefois à calmer, souvent à irriter des disputes théologiques, qu'on a toujours remarqué devenir frivoles à mesure qu'elles sont plus vives.

Michel Paléologue [2], dont le règne fut tant agité par des disputes sur la Religion, voyant les affreux ravages des Turcs dans l'Asie, disait, en soupirant, que le zèle téméraire de certaines personnes, qui, en décriant sa conduite, avaient soulevé ses sujets contre lui, l'avait obligé d'appliquer tous ses soins à sa propre conservation et de négliger la ruine des provinces. « Je me suis contenté, disait-il, de pourvoir à ces parties éloignées par le ministère des gouverneurs, qui m'en ont dissimulé les besoins, soit qu'ils fussent gagnés par argent, soit qu'ils appréhendassent d'être punis. »

Les patriarches de Constantinople avaient un pouvoir immense : comme, dans les tumultes populaires, les Empereurs et les grands de l'Etat se retiraient dans les églises, que le Patriarche était maître de les livrer ou non et exerçait ce droit à sa fantaisie, il se trouvait toujours, quoique indirectement, arbitre de toutes les affaires publiques.

Lorsque le vieux Andronic fit dire au Patriarche qu'il se mêlât des affaires de l'Eglise et le laissât gouverner celles de l'Empire : « C'est, lui répondit le Patriarche,

1. Pachymère, liv. VII.
2. Pachymère, liv. VI, chap. XXIX. (On a employé la traduction de M. le président Cousin.)

comme si le corps disait à l'âme : « Je ne prétends « avoir rien de commun avec vous, et je n'ai que faire « de votre secours pour exercer mes fonctions [1]. »

De si monstrueuses prétentions étant insupportables aux Princes, les patriarches furent très souvent chassés de leur siège. Mais, chez une nation superstitieuse, où l'on croyait abominables toutes les fonctions ecclésiastiques qu'avait pu faire un patriarche qu'on croyait intrus, cela produisit des schismes continuels : chaque patriarche, l'ancien, le nouveau, le plus nouveau, ayant chacun leurs sectateurs.

Ces sortes de querelles étaient bien plus tristes que celles qu'on pouvait avoir sur le dogme, parce qu'elles étaient comme une hydre qu'une nouvelle disposition pouvait toujours reproduire.

La fureur des disputes devint un état si naturel aux Grecs que, lorsque Cantacuzène prit Constantinople [2], il trouva l'empereur Jean et l'impératrice Anne occupés à un concile contre quelques ennemis des moines, et, quand Mahomet II l'assiégea [3], il ne put suspendre les haines théologiques, et on y était plus occupé du concile de Florence que de l'armée des Turcs [4].

Dans les disputes ordinaires, comme chacun sent qu'il peut se tromper, l'opiniâtreté et l'obstination ne sont pas extrêmes. Mais, dans celles que nous avons sur la Religion, comme, par la nature de la chose, chacun croit être sûr que son opinion est vraie, nous nous indignons contre ceux qui, au lieu de changer eux-mêmes, s'obstinent à nous faire changer.

Ceux qui liront l'*Histoire* de Pachymère connaîtront bien l'impuissance où étaient et où seront toujours les théologiens par eux-mêmes d'accommoder

1. Paléologue. Voyez l'*Histoire des deux Andronic*, écrite par Cantacuzène, liv. I, chap. I.
2. Cantacuzène, liv. III, chap. XCIX.
3. Ducas, *Histoire des derniers Paléologues*.
4. On se demandait si on avait entendu la messe d'un prêtre qui eût consenti à l'union : on l'aurait fui comme le feu; on regardait la grande église comme un temple profane. Le moine Gennadius lançait ses anathèmes sur tous ceux qui désiraient la paix. (Ducas, *Histoire des derniers Paléologues*.)

jamais leurs différends. On y voit un empereur [1] qui
passe sa vie à les assembler, à les écouter, à les rapprocher; on voit, de l'autre, une hydre de disputes qui
renaissent sans cesse, et l'on sent qu'avec la même
méthode, la même patience, les mêmes espérances,
la même envie de finir, la même simplicité pour leurs
intrigues, le même respect pour leurs haines, ils ne
se seraient jamais accommodés jusqu'à la fin du
Monde.

En voici un exemple bien remarquable. A la solli-
citation de l'Empereur [2], les partisans du patriarche
Arsène firent une convention avec ceux qui suivaient
le patriarche Joseph, qui portait que les deux partis
écriraient leurs prétentions, chacun sur un papier,
qu'on jetterait les deux papiers dans un brasier, que,
si l'un des deux demeurait entier, le jugement de Dieu
serait suivi, et que, si tous les deux étaient consumés,
ils renonceraient à leurs différends. Le feu dévora les
deux papiers; les deux partis se réunirent; la paix dura
un jour. Mais, le lendemain, ils dirent que leur changement aurait dû dépendre d'une persuasion inté-
rieure, et non pas du hasard, et la guerre recommença
plus vive que jamais.

On doit donner une grande attention aux disputes
des théologiens; mais il faut la cacher autant qu'il est
possible : la peine qu'on paraît prendre à les calmer
les accréditant toujours, en faisant voir que leur
manière de penser est si importante qu'elle décide du
repos de l'Etat et de la sûreté du Prince.

On ne peut pas plus finir leurs affaires en écoutant
leurs subtilités qu'on ne pourrait abolir les duels en
établissant des écoles où l'on raffinerait sur le point
d'honneur.

Les Empereurs grecs eurent si peu de prudence que,
quand les disputes furent endormies, ils eurent la rage
de les réveiller. Anastase [3], Justinien [4], Héraclius [5],

1. Andronic Paléologue.
2. Pachymère, liv. I.
3. Evagre, liv. III.
4. Procope, *Hist. secrète*.
5. Zonare, *Vie d'Héraclius*.

Manuel Comnène [1], proposèrent des points de foi
à leur clergé et à leur peuple, qui aurait méconnu la
vérité dans leur bouche quand même ils l'auraient
trouvée. Ainsi, péchant toujours dans la forme et
ordinairement dans le fond, voulant faire voir leur
pénétration, qu'ils auraient pu si bien montrer dans
tant d'autres affaires qui leur étaient confiées, ils entreprirent des disputes vaines sur la nature de Dieu, qui,
se cachant aux savants, parce qu'ils sont orgueilleux,
ne se montre pas mieux aux grands de la Terre.

C'est une erreur de croire qu'il y ait dans le Monde
une autorité humaine à tous les égards despotique :
il n'y en a jamais eu, et il n'y en aura jamais. Le pouvoir le plus immense est toujours borné par quelque
coin. Que le Grand Seigneur mette un nouvel impôt à
Constantinople, un cri général lui fait d'abord trouver
des limites qu'il n'avait pas connues. Un roi de Perse
peut bien contraindre un fils de tuer son père ou un
père de tuer son fils [2]; mais obliger ses sujets de boire
du vin, il ne le peut pas. Il y a, dans chaque nation,
un esprit général sur lequel la puissance même est fondée. Quand elle choque cet esprit, elle se choque elle-
même, et elle s'arrête nécessairement.

La source la plus empoisonnée de tous les malheurs
des Grecs, c'est qu'ils ne connurent jamais la nature
ni les bornes de la puissance ecclésiastique et de la
séculière; ce qui fit que l'on tomba, de part et d'autre,
dans des égarements continuels.

Cette grande distinction, qui est la base sur laquelle
pose la tranquillité des peuples, est fondée non seulement sur la Religion, mais encore sur la raison et la
nature, qui veulent que des choses réellement séparées,
et qui ne peuvent subsister que séparées, ne soient
jamais confondues.

Quoique, chez les anciens Romains, le Clergé ne fît
pas un corps séparé, cette distinction y était aussi
connue que parmi nous. Claudius avait consacré à la
Liberté la maison de Cicéron, lequel, revenu de son

1. Nicétas, *Vie de Manuel Comnène*.
2. Voyez Chardin.

exil, la redemanda. Les pontifes décidèrent que, si
elle avait été consacrée sans un ordre exprès du Peuple,
on pouvait la lui rendre sans blesser la Religion. « Ils
ont déclaré, dit Cicéron [1], qu'ils n'avaient examiné
que la validité de la consécration, et non la loi faite
par le Peuple; qu'ils avaient jugé le premier chef
comme pontifes, et qu'ils jugeraient le second comme
sénateurs. »

1. *Lettres à Atticus*, liv. IV.

CHAPITRE XXIII

I. RAISON DE LA DURÉE DE L'EMPIRE D'ORIENT
II. SA DESTRUCTION

Après ce que je viens de dire de l'Empire grec, il est naturel de demander comment il a pu subsister si longtemps. Je crois pouvoir en donner les raisons.

Les Arabes l'ayant attaqué et en ayant conquis quelques provinces, leurs chefs se disputèrent le caliphat, et le feu de leur premier zèle ne produisit plus que des discordes civiles.

Les mêmes Arabes ayant conquis la Perse et s'y étant divisés ou affaiblis, les Grecs ne furent plus obligés de tenir sur l'Euphrate les principales forces de leur empire.

Un architecte nommé *Callinique*, qui était venu de Syrie à Constantinople, ayant trouvé la composition d'un feu que l'on soufflait par un tuyau, et qui était tel que l'eau et tout ce qui éteint les feux ordinaires ne faisait qu'en augmenter la violence, les Grecs, qui en firent usage, furent en possession, pendant plusieurs siècles, de brûler toutes les flottes de leurs ennemis, surtout celles des Arabes, qui venaient d'Afrique ou de Syrie les attaquer jusqu'à Constantinople.

Ce feu fut mis au rang des secrets de l'Etat, et Constantin Porphyrogénète, dans son ouvrage dédié à Romain, son fils, sur l'administration de l'Empire, l'avertit que, lorsque les Barbares lui demanderont du *feu grégeois*, il doit leur répondre qu'il ne lui est pas permis de leur en donner, parce qu'un Ange, qui l'apporta à l'empereur Constantin, défendit de le communiquer aux autres nations, et que ceux qui avaient osé le faire avaient été dévorés par le feu du Ciel dès qu'ils étaient entrés dans l'Eglise.

Constantinople faisait le plus grand et presque le seul commerce du Monde, dans un temps où les nations gothiques, d'un côté, et les Arabes, de l'autre, avaient ruiné le commerce et l'industrie partout ailleurs : les manufactures de soie y avaient passé de Perse, et, depuis l'invasion des Arabes, elles furent fort négligées dans la Perse même. D'ailleurs, les Grecs étaient maîtres de la mer. Cela mit dans l'Etat d'immenses richesses et, par conséquent, de grandes ressources; et, sitôt qu'il eut quelque relâche, on vit d'abord reparaître la prospérité publique.

En voici un grand exemple. Le vieux Andronic Comnène était le Néron des Grecs; mais, comme, parmi tous ses vices, il avait une fermeté admirable pour empêcher les injustices et les vexations des Grands, on remarqua que, pendant trois ans qu'il régna, plusieurs provinces se rétablirent [1].

Enfin, les Barbares qui habitaient les bords du Danube s'étant établis, ils ne furent plus si redoutables et servirent même de barrière contre d'autres Barbares.

Ainsi, pendant que l'Empire était affaissé sous un mauvais gouvernement, des choses particulières le soutenaient. C'est ainsi que nous voyons aujourd'hui quelques nations de l'Europe se maintenir, malgré leur faiblesse, par les trésors des Indes; les Etats temporels du Pape, par le respect que l'on a pour le Souverain; et les corsaires de Barbarie, par l'empêchement qu'ils mettent au commerce des petites nations : ce qui les rend utiles aux grandes [2].

L'empire des Turcs est à présent à peu près dans le même degré de faiblesse où était autrefois celui des Grecs. Mais il subsistera longtemps : car, si quelque prince que ce fût mettait cet empire en péril en poursuivant ses conquêtes, les trois puissances commer-

1. Nicétas, *Vie d'Andronic Comnène*, liv. II.
2. Ils troublent la navigation des Italiens dans la Méditerranée.

çantes de l'Europe connaissent trop leurs affaires pour n'en pas prendre la défense sur-le-champ[1].

C'est leur félicité que Dieu ait permis qu'il y ait dans le Monde des nations propres à posséder inutilement un grand empire.

Dans le temps de Basile Porphyrogénète, la puissance des Arabes fut détruite en Perse. Mahomet, fils de Sambraël, qui y régnait, appela du Nord trois mille Turcs en qualité d'auxiliaires[2]. Sur quelque mécontentement, il envoya une armée contre eux; mais ils la mirent en fuite. Mahomet, indigné contre ses soldats, ordonna qu'ils passeraient devant lui vêtus en robes de femmes; mais ils se joignirent aux Turcs, qui d'abord allèrent ôter la garnison qui gardait le pont de l'Araxe, et ouvrirent le passage à une multitude innombrable de leurs compatriotes.

Après avoir conquis la Perse, ils se répandirent d'orient en occident sur les terres de l'Empire, et, Romain Diogène ayant voulu les arrêter, ils le prirent prisonnier et soumirent presque tout ce que les Grecs avaient en Asie, jusqu'au Bosphore.

Quelque temps après, sous le règne d'Alexis Comnène, les Latins attaquèrent l'Occident. Il y avait longtemps qu'un malheureux schisme avait mis une haine implacable entre les nations des deux rites, et elle aurait éclaté plus tôt si les Italiens n'avaient plus pensé à réprimer les Empereurs d'Allemagne, qu'ils craignaient, que les Empereurs grecs, qu'ils ne faisaient que haïr.

On était dans ces circonstances, lorsque tout à coup il se répandit en Europe une opinion religieuse que les lieux où Jésus-Christ était né, ceux où il avait souffert, étant profanés par les Infidèles, le moyen d'effacer ses

1. Ainsi, les projets contre le Turc, comme celui qui fut fait sous le pontificat de Léon X, par lequel l'Empereur devait se rendre par la Bosnie à Constantinople; le roi de France, par l'Albanie et la Grèce; d'autres princes, s'embarquer dans leurs ports : ces projets, dis-je, n'étaient pas sérieux ou étaient faits par des gens qui ne voyaient pas l'intérêt de l'Europe.
2. Histoire écrite par Nicéphore Bryenne-César, *Vies de Constantin Ducas et Romain Diogène*.

péchés était de prendre les armes pour les en chasser. L'Europe était pleine de gens qui aimaient la guerre, qui avaient beaucoup de crimes à expier, et qu'on leur proposait d'expier en suivant leur passion dominante : tout le monde prit donc la croix et les armes.

Les Croisés, étant arrivés en Orient, assiégèrent Nicée et la prirent; ils la rendirent aux Grecs, et, dans la consternation des Infidèles, Alexis et Jean Comnène rechassèrent les Turcs jusqu'à l'Euphrate.

Mais, quel que fût l'avantage que les Grecs pussent tirer des expéditions des Croisés, il n'y avait pas d'empereur qui ne frémît du péril de voir passer au milieu de ses États et se succéder des héros si fiers et de si grandes armées.

Ils cherchèrent donc à dégoûter l'Europe de ces entreprises, et les Croisés trouvèrent partout des trahisons, de la perfidie, et tout ce qu'on peut attendre d'un ennemi timide.

Il faut avouer que les Français, qui avaient commencé ces expéditions, n'avaient rien fait pour se faire souffrir. Au travers des invectives d'Andronic Comnène contre nous [1], on voit, dans le fond, que, chez une nation étrangère, nous ne nous contraignions point, et que nous avions pour lors les défauts qu'on nous reproche aujourd'hui.

Un comte français alla se mettre sur le trône de l'Empereur; le comte Baudouin le tira par le bras et lui dit : « Vous devez savoir que, quand on est dans un pays, il en faut suivre les usages. — Vraiment, voilà un beau paysan, répondit-il, de s'asseoir ici, tandis que tant de capitaines sont debout! »

Les Allemands, qui passèrent ensuite, et qui étaient les meilleures gens du Monde, firent une rude pénitence de nos étourderies et trouvèrent partout des esprits que nous avions révoltés [2].

Enfin, la haine fut portée au dernier comble, et quelques mauvais traitements faits à des marchands vénitiens, l'ambition, l'avarice, un faux zèle, déter-

1. *Histoire d'Alexis*, son père, liv. X et XI.
2. Nicétas, *Hist. de Manuel Comnène*, liv. I.

minèrent les Français et les Vénitiens à se croiser contre les Grecs.

Ils les trouvèrent aussi peu aguerris que, dans ces derniers temps, les Tartares trouvèrent les Chinois. Les Français se moquaient de leurs habillements efféminés [1]; ils se promenaient dans les rues de Constantinople revêtus de leurs robes peintes; ils portaient à la main une écritoire et du papier, par dérision pour cette nation qui avait renoncé à la profession des armes; et, après la guerre, ils refusèrent de recevoir dans leurs troupes quelque Grec que ce fût.

Ils prirent toute la partie d'Occident et y élurent empereur le comte de Flandres, dont les Etats éloignés ne pouvaient donner aucune jalousie aux Italiens. Les Grecs se maintinrent dans l'Orient, séparés des Turcs par les montagnes et des Latins par la mer.

Les Latins, qui n'avaient pas trouvé d'obstacles dans leurs conquêtes, en ayant trouvé une infinité dans leur établissement, les Grecs repassèrent d'Asie en Europe, reprirent Constantinople et presque tout l'Occident.

Mais ce nouvel empire ne fut que le fantôme du premier et n'en eut ni les ressources ni la puissance.

Il ne posséda guères en Asie que les provinces qui sont en deçà du Méandre et du Sangare; la plupart de celles d'Europe furent divisées en de petites souverainetés.

De plus, pendant soixante ans que Constantinople resta entre les mains des Latins, les vaincus s'étant dispersés et les conquérants, occupés à la guerre, le commerce passa entièrement aux villes d'Italie, et Constantinople fut privée de ses richesses.

Le commerce même de l'intérieur se fit par les Latins. Les Grecs, nouvellement rétablis, et qui craignaient tout, voulurent se concilier les Génois en leur accordant la liberté de trafiquer sans payer des droits [2], et les Vénitiens, qui n'acceptèrent point de paix, mais

1. Nicétas, *Hist. après la prise de Const.*, chap. III.
2. Cantacuzène, liv. IV.

quelques trêves, et qu'on ne voulut pas irriter, n'en payèrent pas non plus.

Quoique, avant la prise de Constantinople, Manuel Comnène eût laissé tomber la marine, cependant, comme le commerce subsistait encore, on pouvait facilement la rétablir. Mais, quand, dans le nouvel empire, on l'eut abandonnée, le mal fut sans remède, parce que l'impuissance augmenta toujours.

Cet Etat, qui dominait sur plusieurs îles, qui était partagé par la mer, et qui en était environné en tant d'endroits, n'avait point de vaisseaux pour y naviguer. Les provinces n'eurent plus de communication entre elles; on obligea les peuples de se réfugier plus avant dans les terres pour éviter les pirates [1]; et, quand ils l'eurent fait, on leur ordonna de se retirer dans les forteresses pour se sauver des Turcs.

Les Turcs faisaient pour lors aux Grecs une guerre singulière : ils allaient proprement à la chasse des hommes; ils traversaient quelquefois deux cents lieues de pays pour faire leurs ravages. Comme ils étaient divisés sous plusieurs sultans [2], on ne pouvait pas, par des présents, faire la paix avec tous, et il était inutile de la faire avec quelques-uns. Ils s'étaient faits mahométans, et le zèle pour leur religion les engageait merveilleusement à ravager les terres des Chrétiens. D'ailleurs, comme c'étaient les peuples les plus laids de la Terre [3], leurs femmes étaient affreuses comme eux, et, dès qu'ils eurent vu des Grecques, ils n'en purent plus souffrir d'autres [4]. Cela les porta à des

1. Pachymère, liv. VII.
2. Cantacuzène, liv. III, chap. xcvi, et Pachymère, liv. XI, chap. ix.
3. Cela donna lieu à cette tradition du Nord, rapportée par le Goth Jornandès, que Philimer, roi des Goths, entrant dans les terres gétiques, y ayant trouvé des femmes sorcières, il les chassa loin de son armée; qu'elles errèrent dans les déserts, où des Démons incubes s'accouplèrent avec elles, d'où vint la nation des Huns : *Genus ferocissimum, quod fuit primum inter paludes, minutum, tetrum atque exile, nec alia voce notum nisi quæ humani sermonis imaginem assignabat.*
4. Michel Ducas, *Hist. de Jean Manuel, Jean et Constantin,* chap. ix. Constantin Porphyrogénète, au commencement de son

enlèvements continuels. Enfin, ils avaient été de tout temps adonnés aux brigandages, et c'était ces mêmes Huns qui avaient autrefois causé tant de maux à l'Empire romain [1].

Les Turcs inondant tout ce qui restait à l'Empire grec en Asie, les habitants qui purent leur échapper fuirent devant eux jusqu'au Bosphore, et ceux qui trouvèrent des vaisseaux se réfugièrent dans la partie de l'Empire qui était en Europe, ce qui augmenta considérablement le nombre de ses habitants. Mais il diminua bientôt. Il y eut des guerres civiles si furieuses que les deux factions appelèrent divers sultans turcs sous cette condition, aussi extravagante que barbare, que tous les habitants qu'ils prendraient dans les pays du parti contraire seraient menés en esclavage [2], et chacun, dans la vue de ruiner ses ennemis, concourut à détruire la Nation.

Bajazet ayant soumis tous les autres sultans, les Turcs auraient fait pour lors ce qu'ils firent depuis, sous Mahomet II, s'ils n'avaient pas été eux-mêmes sur le point d'être exterminés par les Tartares.

Je n'ai pas le courage de parler des misères qui suivirent; je dirai seulement que, sous les derniers empereurs, l'Empire, réduit aux faubourgs de Constantinople, finit comme le Rhin, qui n'est plus qu'un ruisseau lorsqu'il se perd dans l'Océan.

Extrait des Ambassades, avertit que, quand les Barbares viennent à Constantinople, les Romains doivent bien se garder de leur montrer la grandeur de leurs richesses, ni la beauté de leurs femmes.

1. Voyez la note pénultième.

2. Voyez l'*Histoire des Empereurs Jean Paléologue et Jean Cantacuzène*, écrite par Cantacuzène.

TABLE DES MATIÈRES

Il existe dans la collection des Classiques Garnier, une édition des Considérations sur les causes de la grandeur des Romains et de leur décadence.

Cette édition établie par Gonzague Truc comprend outre les Considérations, *le* Dialogue de Sylla et d'Eucrate, Lysimaque, *la* Dissertation sur la politique des Romains dans la religion, *le* Discours sur Cicéron, *les* Remarques sur certaines objections. *Elle est enrichie d'une introduction, de notes et de variantes.*

DANS LA MÊME COLLECTION

GF — TEXTE INTÉGRAL — GF

2228 - 1968. — IMPRIMERIE-RELIURE MAME
N° d'édition 6123 — 1ᵉʳ trimestre 1968. — PRINTED IN FRANCE.